COMPANHIA DAS LETRAS

CANTO PARA GOVINDA

JAYADEVA compôs o Canto para Govinda possivelmente sob o patrocínio da corte de Lakṣmaṇasena, que reinou em Bengala entre o fim do século XII e o início do XIII. Até o momento, não nos chegou outra grande obra de sua autoria, mas há breves poemas a ele atribuídos em antologias sânscritas. Sua biografia é contada por episódios não documentáveis, ainda que plausíveis. Ele figura como um devoto do deus Kṛṣṇa, um asceta austero que um dia foi convencido a casar-se com a dançarina Padmāvatī. Isso alimenta a hipótese de Jayadeva ter se tornado adepto de liturgias que sacralizam o erotismo. Liricamente referidos no poema, o poeta e a dançarina formam um casal que conecta os planos humano e divino por meio da poesia e da mística.

JOÃO CARLOS B. GONÇALVES é professor de língua sânscrita, literatura filosófica indiana antiga e tradutor. É também um pesquisador que se dedica à tradução e à divulgação, em língua portuguesa, das obras do śivaísmo da Caxemira, nas quais investiga as teorias relativas à consciência, à linguagem, ao conhecimento e ao universo. Compõe o corpo docente do Ashram Urbano, onde atua na tradução de obras antigas de yoga e as ensina em cursos livres e aulas abertas. Doutor em linguística pela Universidade de São Paulo (USP), especializou-se na literatura dos Purāṇas, um dos mais importantes substratos das práticas que consolidaram o hinduísmo tal como o conhecemos hoje.

JAYADEVA

Canto para Govinda

Tradução do sânscrito, introdução e notas de
JOÃO CARLOS B. GONÇALVES

COMPANHIA DAS LETRAS

Grafia atualizada segundo o Acordo Ortográfico da Língua Portuguesa de 1990, que entrou em vigor no Brasil em 2009.

Published by Companhia das Letras in association with Penguin Group (USA) Inc.

TÍTULO ORIGINAL
Gītagovinda

PREPARAÇÃO
Guilherme Gontijo Flores

REVISÃO
Ana Maria Barbosa
Paula Queiroz

Dados Internacionais de Catalogação na Publicação (CIP)
(Câmara Brasileira do Livro, SP, Brasil)

Jayadeva, séc. XII
Canto para Govinda / Jayadeva ; tradução do sânscrito, introdução e notas de João Carlos B. Gonçalves. — 1ª ed. — São Paulo: Penguin-Companhia das Letras, 2023.

Título original: Gītagovinda.
ISBN 978-85-8285-167-8

1. Poesia indiana I. Gonçalves, João Carlos B. II. Título.

23-151020 CDD-891.41

Índice para catálogo sistemático:
1. Poesia : Literatura indiana 891.41

Cibele Maria Dias — Bibliotecária — CRB-8/9427

EDITORA SCHWARCZ S.A.
Rua Bandeira Paulista, 702, cj. 32
04532-002 — São Paulo — SP
Telefone (11) 3707-3500
www.penguincompanhia.com.br
www.companhiadasletras.com.br
www.blogdacompanhia.com.br

Sumário

Introdução — João Carlos B. Gonçalves 7
Guia de pronúncia do sânscrito 23

CANTO PARA GOVINDA 25

Glossário 129
Referências bibliográficas 149
Notas 151

Introdução

JOÃO CARLOS B. GONÇALVES

O POEMA E SEU AUTOR

Canto para Govinda é um poema do século XII, composto em sânscrito, em algum lugar na região onde hoje estão os estados de Bengala e Orissa, na Índia. Trata-se de uma obra de pouco menos de trezentas estrofes, divididas em doze capítulos, que, por sua vez, contêm 24 canções. Pela história da representação deste poema, sabemos que suas canções eram cantadas — são até hoje — e que já no século XIV sua performance era realizada em templo hinduísta. Além disso, a própria herança manuscrita do poema apresenta no início de cada canção indicações rítmicas e melódicas, de acordo com a terminologia e conceitualização da música indiana, *tāla* e *rāga*, respectivamente.

A tradição musical indiana segue na contemporaneidade com novas sistematizações e padronizações que musicistas realizaram ao longo dos últimos dois séculos especialmente, sendo hoje chamada de música clássica indiana, por analogia à cultura greco-latina. O mesmo ocorreu com as formas de dança indiana antigas, algumas das quais, tendo passado por processos históricos quase implacáveis, receberam novas sistematizações e seguem contemporaneamente performadas como danças clássicas indianas.

Para nossa sorte, ainda hoje podemos desfrutar de performances do *Canto para Govinda* interpretado com dança e música clássica indianas, tanto na Índia como mundo afora. Mesmo que não se possa dizer quais eram exatamente as melodias, ritmos, instrumentos e coreografias na época de sua composição, podemos dizer que o poema se mantém como fonte ativa de inspiração e experiência estética nas performances contemporâneas. São muito frequentes apresentações de dança Odissi com o *Canto para Govinda* sendo cantado, em que bailarinas ou bailarinos performam as falas das personagens e a emoção a elas conectada, incluindo, na sua expressão corporal, gestos de mão e expressões faciais muito significativas.

O poema trata de uma história de amor entre o pastor Govinda e a pastora Rādhā, historicamente interpretado em planos de leitura que vão do amor carnal ao amor místico e devocional. A estrutura do poema traz duas dimensões de vozes principais: as estrofes narrativas e a maior parte das 24 canções, que expressam as vozes dos personagens. Nessas canções, que são falas entremeadas pelos versos narrativos, o poema traz um repertório exemplar dos sentimentos amorosos pelos quais o casal passa ao longo do poema, que começa com uma separação.

O autor é Jayadeva, um poeta de corte, que partilha dos preceitos literários que determinam o bom escrever de acordo com regras e princípios registrados e normatizados em obras de poética e estética antigas em sânscrito. Os escritos desse conjunto literário têm sido chamados de poesia clássica (recorrendo à mesma analogia que criou os termos música e dança clássicas indianas) por se tratar de poesia patrocinada pelo poder real, em suas variações regionais e históricas, e por essa literatura se autodefinir como "distinta", diferente da literatura dita "popular" ou feita em línguas conhecidas como "prácritas".

A poesia, a prosa e o teatro compostos de acordo com esses princípios consistem em tradição que se mantém desde, aproximadamente, o início do primeiro milênio da era cristã, com incontáveis autores, comentários sobre essas obras e obras teóricas acerca da literatura, de suas qualidades e de seus preceitos. Jayadeva herda, no século XII, mais de um milênio de teorias relativas à emoção estética (*rasa*) e aos ornamentos verbais (*alaṁkāra*) desejáveis nas operações estéticas que compõem a significação de um poema. Além disso, faz algo raro nesse campo: compõe versos rimados e utiliza padrões métricos pouco comuns no contexto da poesia sânscrita, mais típicos da literatura entendida como popular. Jayadeva herda também um repertório de dois milênios de narrativas míticas, as quais processa de forma muito hábil em seus versos. Assim, os protagonistas Govinda e Rādhā, ao mesmo tempo que dão continuidade à literatura anterior ao *Canto para Govinda*, expressam uma posição única e particular na literatura sânscrita, a ser vista na especificidade do poema.

O autor se apresenta em cada uma das canções como esposo de Padmāvatī, uma dançarina. Tudo indica que se trata de uma alusão à sua vida de fato, ainda que a relação entre esses relatos e a história seja bem difusa.

O efeito literário da autorreferência permanente de Jayadeva e de sua esposa Padmāvatī produz uma relação de significação fluida entre o casal que está na dimensão da autoria e o célebre casal de deuses Viṣṇu e Lakṣmī. Isso se dá por variadas razões. Uma delas é o fato de os nomes do poeta Jayadeva (Deus da Vitória) e da dançarina Padmāvatī (A que Tem a Flor de Lótus Sob Si), carregarem sentidos alusivos ao casal de deuses. Além disso, Govinda é entendido como uma manifestação de Viṣṇu; e Rādhā é entendida sob uma dimensão abstrata que se dá entre a contrapartida cósmica de Viṣṇu e figura modelar para devotos e devotas, de acordo com a teologia visnuíta. Por fim, há também o fato de ser atribuída a Viṣṇu e Lakṣmī uma condição de exemplaridade nas teorias poéticas do erotismo, enquanto emoção estética (*śṛṅgāra-rasa*), de acordo com a teoria poética sânscrita antiga.

Os personagens Rādhā e Govinda estão teologicamente associados a uma dimensão divina da qual trataremos a seguir, na qual se dá uma equiparação entre o plano da autoria da obra e o das figuras de Lakṣmī e Viṣṇu. Há também a presença da deusa Rati e do deus Kāma, tuteladores do sentimento erótico nas relações amorosas, com seus altos e baixos, sendo frequentemente referidos pelos personagens e pelo narrador do *Canto para Govinda*. Sendo assim, os quatro casais, em movimentos fluidos de continuidade, equiparação e sobreposição, contribuem para a multidimensionalidade do poema.

Além dessas figuras, temos a personagem da amiga, a qual exerce o papel da comunicação. É ela que transmite as mensagens ao casal, quando os dois são interceptados pelos sentimentos que os afastam — ciúmes, raiva, constrangimento, timidez, insegurança.

O TÍTULO DA OBRA

O nome original da obra é *Canto para Govinda*, que é a soma das palavras "gīta" e "Govinda". "Gīta" significa "cantado" e "canto", no sentido de "ato de cantar". "Govinda" é um nome próprio que possivelmente traz em sua etimologia uma relação com o sentido de "pastor" ou "chefe dos pastores" (*gopendra*), e é um entre muitos nomes atribuídos à figura divina que se popularizou muito além da Índia sob o nome de Kṛṣṇa. Esse deus tem fundamentalmente três tipos de representação: um bebê ou uma criança meiga e ao mesmo tempo incontrolável; um príncipe guerreiro de sabedoria infinita; e um pastor jovem de encantos infinitos. No poema, o pastor é a figura evocada.

Gītagovinda significa "Govinda cantado" ou "Govinda [retratado] em canto". Ou também "Govinda em poesia cantada". Como poesia, é capaz de abrigar harmoniosamente coisas ordinárias da vida mundana e as coisas do espírito, especificamente o sentimento intenso de partilha devocional com o ser divino.

Kṛṣṇa é um avatar (do sânscrito *avatāra*, "descida"), ou manifestação terrena do deus Viṣṇu, tendo sido descrito nas narrativas antigas como um herói e deificado como jovem pastor. Viṣṇu, quando visto sob a idealização[1] da célebre tríade de deuses (*trimūrti*), recebe a função de mantenedor cósmico, um tipo de deus protetor, ao lado de Brahman — o criador — e de Śiva — o destruidor. Viṣṇu, apesar de figurar entre os outros dois, assim como Śiva e as várias deusas entendidas como a grande deusa, é identificado como o deus supremo pelas pessoas que a ele se devotam.

Govinda, então, é um nome que se associa tanto ao deus Viṣṇu como a seu avatar Kṛṣṇa. O termo "avatar" remete à noção de manifestação divina. Tais manifestações podem ou não ser humanas, tal como traz a primeira canção do poema, que tem o intuito de celebrar dez avatares, a começar por peixe, tartaruga, javali e, o intermediário, homem-leão.

No título do poema, o nome próprio Govinda, que remete a Kṛṣṇa e a Viṣṇu, segundo as acepções acima expostas, carrega um conceito da teologia hinduísta, de descida por encarnação divina, e está conectado à caracterização pastoril de um personagem deificado com uma lista de episódios narrados na literatura épica.

Enquanto poema, chama muito a atenção pela forma como herda e reorienta as narrativas antigas de dimensão devocional em meio à trama erótica de Govinda e Rādhā, a pastora que protagoniza a história de amor retratada na obra. Assim, as questões a respeito do aspecto divino e humano de Govinda, juntamente com a analogia entre amor espiritual e amor carnal e com a dicotomia escritura religiosa/poema secular.

DIÁLOGOS COM O LEGADO RELIGIOSO

A narrativa do *Canto para Govinda* relata os altos e baixos do casal Govinda e Rādhā, no ambiente primaveril rodeado da presença invisível e avassaladora de Kāmadeva, "Deus do Amor", que fará os amantes experimentarem as emoções próprias às relações amorosas: ciúme, dor da separação, mágoa entre os amantes, arrependimento, anseio pela reconciliação e desejo sexual.

Na poesia clássica, é recorrente o uso de temas míticos pertencentes ao repertório tradicinal. Assim como no caso de Govinda, em que deparamos com um personagem extensamente retratado em obras que antecedem o *Canto para Govinda*, a presença de Rādhā marca, na literatura sânscrita, a individualização de uma das muitas pastoras anônimas das narrativas antigas.

No *Canto para Govinda*, em que os bosques de Vṛndā são o cenário, a personalidade de Govinda é prevalentemente caracterizada como a do amante, mas a imagem tradicional do pastor também é acionada pelo poema, assim como a do príncipe guerreiro e do menino traquinas. Das narrativas épicas a respeito de Govinda abundam, no poema de Jayadeva, as referências aos feitos míticos da dimensão divina do personagem, a começar pela primeira canção, que o identifica com Viṣṇu, quando evoca dez outras encarnações desse deus. A presença do amplo universo do repertório religioso visnuíta permeia a caracterização erótica do episódio narrado no poema, mantendo os traços peculiares de sua criação em justa conexão com o histórico preexistente do personagem narrado.

Das correntes religiosas do visnuísmo, podemos listar algumas formas de conceber a identidade entre as realidades humana e divina no poema. Rādhā, por exemplo, constitui a transfiguração da potência infinita do amor (*ānandaśakti*) contida na natureza de Govinda, que é considerado como o *bhagavat*, isto é, a realidade divina mais elevada em seu aspecto de deus personificado. Por conseguinte, Rādhā, enquanto transfiguração dessa potência, é compreendida sob uma forma não dualista, como uma dimensão essencial de Kṛṣṇa/Govinda, sendo ambos entendidos como aspectos da mesma essência.

É importante ressaltar que a figura de Rādhā individualiza a relação de Govinda com as pastoras e que não há, até onde se sabe, uma representação tão expressiva dessa pastora que tenha surgido antes da composição do *Canto para Govinda*. As modalidades de devoção com base no casal de pastores têm origens bem mais antigas do que o poema de Jayadeva e, para a compreensão dos aspectos devocionais dessas formas de culto, basta a apreensão de que mesmo as figuras genéricas das pastoras deram base à construção das analogias com a prática do amor místico entre devoto e divindade. Com Rādhā, porém, tais expressões religiosas ganham outro corpo e dimensão, a ponto de haver práticas místicas mais centradas nela do que nele, fundindo sua personalidade com a da deusa Lakṣmī, esposa de Viṣṇu, e associando-a ao campo abstrato das cosmologias visnuítas.

Assim, os personagens Govinda e Rādhā, na interpretação devocional, são concebidos como princípios divinos que têm seu desfrute eterno representado sob a realidade amorosa humana. Nessa concepção, há algumas variantes históricas de culto. Em uma delas, o devoto é identificado com a figura da amiga de Rādhā que propicia a autorrealização da natureza divina e desfruta externamente dela. Em outra variedade de culto, há uma identificação do devoto com a figura de Rādhā, passando por todos os ardores da separação, do anseio, do encontro e da união amorosa, sempre com a figura divina. Há também os que concebem os homens e as mulheres como dotados da presença respectiva de Govinda e Rādhā, sendo seu encontro dessa forma um ato que propicia e ao mesmo tempo é propiciado pela autorrealização divina.

Há tantas formas de conceber a união entre eles quantos são os cultos que surgiram no curso da história. Em todas elas, o elemento divino está sobreposto nas figuras humanas e na relação que as conecta. Trata-se assim de abstração capaz de trazer às experiências individuais de afeto um olhar universalizante, segundo o qual o afeto que une duas pessoas é da mesma natureza que o princípio divino que é variadamente compreendido nas várias formas de culto de Rādhā e Kṛṣṇa.

Em consequência, o componente erótico, já existente nos antigos textos que narravam Govinda e as pastoras em seu papel privilegiado no *Canto para Govinda*, é levado a uma ritualização por aqueles que o veem como uma concretização da entidade divina, conforme vemos neste comentário que acompanha uma tradução do poema para o inglês:

> Ela [a dança de Kṛṣṇa com as pastoras] é, portanto, um serviço devocional altamente disciplinado e organizado que pressupõe um amor assexuado, altruísta e puro, com total exclusão da carnalidade. Ela pode ser vista como um ponto de convergência entre a alma humana e a divina. Interpretar a dança *rāsa* como uma dança frenética que leva à orgia sexual não só é um equívoco, mas também um sacrilégio contundente.[2]

No polo oposto, encontramos aqueles que entendem o poema como uma expressão do erotismo sem sacralidade. No comentário a seguir, tirado da tradução do poema para o espanhol, essa visão fica patente:

> Algumas pessoas opinam, em nosso parecer de forma equivocada, que o *Gītagovinda* é um poema místico e que devemos tomar simbolicamente seu tema e suas expressões ardentes, interpretando-os no sentido de que se trata dos amores místicos da Alma com Deus, que é o mesmo que muitos pensam a respeito de outro poema oriental de amor, o *Cântico dos cânticos*.

> O erotismo do *Gītagovinda* é fundamentalmente um erotismo centrado no físico: composto com os encantos corporais da mulher [e do homem],[3] o prazer da união sexual, com todos os prazeres que o precedem, descritos pelos tratados técnicos respectivos, como o *Kāmasūtra*.[4]

Em estudo sobre o *Canto para Govinda*, na introdução que apresenta sua tradução para o inglês, Barbara Miller fundamenta-se no fato de que o autor Jayadeva fala de si ao longo das 24 canções que compõem o poema e, com isso, consegue elaborar uma forma de abordar as instâncias sagrada e humana como não excludentes. Lembra assim que se trata de um poema e, portanto, além do amor sexual e religioso, a experiência estética também deve ser considerada:

> Para Jayadeva, o desejo e a união [do casal] é o exemplo concreto da experiência religiosa em que a desesperadora separação entre "eu" e "meu" e "tu" e "teu" é apaziguada. A experiência estética do amor deles é o meio para ultrapassar o muro imaginário que divide o humano do divino.
>
> A presença direta do poeta em meio ao poema dramatiza sua visão de que a conduta da percepção estética é o caminho para fruir a graça do amor de Kṛṣṇa. Cada verso-assinatura é uma variação sobre a ideia de que os estados emocionais de Rādhā e Kṛṣṇa possuem um poder espiritual [...].[5]

Sob a perspectiva de que estamos diante de uma obra poética, isto é, de um texto composto no âmbito da estética e que concilia as instâncias divina e humana, também podem ser incluídos os comentários de Siegel, que traduziu o poema para o inglês:

> O *Gītagovinda* não é nem uma alegoria religiosa, nem um poema puramente secular (ainda que ambas as interpretações sejam comuns); o poeta justapôs descrições convencionais do jogo amoroso carnal com expressões tradicionais de devoção e, assim fazendo, criou uma relação ambígua entre as dimensões sagradas e profanas do amor.[6]

É nesse sentido que encontramos a graça da linguagem poética, que tem o poder de sugerir além do que está dito. A sugestividade é essa faculdade inerente à linguagem verbal que permite representar a dimensão interna de quem tenta apreender uma realidade ordinária ou não ordinária. Isto é, a experiência humana diante de suas dúvidas, dilemas e universos complexos não descritíveis por relações de exclusividade; é uma das esferas do dizer poético. Antes de tentar resolver o dilema da relação entre divindade e humanidade, o *Canto para Govinda* parte da complexidade dessas experiências; não as trata como um problema a ser resolvido, mas como algo da dimensão humana a ser retratado por meio linguagem verbal e em seu uso mais complexo: a poesia.

SOBRE A PERSONAGEM RĀDHĀ

A dança de Govinda junto às pastoras, conhecida como *rāsa*, em suas versões e alusões, na literatura religiosa, formam o cenário do *Canto para Govinda*, mas não os personagens. À parte leituras carnais ou espirituais, é de conhecimento histórico que as narrativas antigas que celebraram Govinda e as pastoras não individualizam ou nomeiam a pastora Rādhā, tal como a conhecemos por meio da obra de Jayadeva.

Nos Purāṇas, obras em que encontramos os episódios mais antigos e detalhados da dança entre Govinda e as pastoras, vemos que elas largam seus maridos, filhos e familiares em casa para dançar sensualmente com ele, ou deixam de lado os afazeres atribuídos a elas, ou desejam ter a exclusividade de sua presença, o que às vezes a conseguem, às vezes imaginam.

Esse cenário, diversamente interpretado pelas várias correntes hermenêuticas, permitiu a possibilidade de individualização da pastora, mas não estava dado, nem era óbvio. A luz antes projetada sobre essa personagem, difusa em meio a muitas pastoras sem nome, é uma das formas pelas quais podemos ver uma dimensão criativa do *Canto para Govinda*, que, ao criá-la, parece retratá-la de modo singular. Após a popularização do poema, que ocorre em um leque de um ou dois séculos, tanto nas artes como na religião, Rādhā passa a ser figura conhecida como heroína ou como deusa, ou essência cósmica.

Dessa forma, boa parte do campo de interpretação teológica, antes voltado para a relação entre Kṛṣṇa e as pastoras, passa a ser tratado de forma individualizante, projetado sobre a contrapartida cósmica do deus uma figura com nome e personalidades próprios.

No poema, a presença de uma pastora individualizada estabelece outra natureza de relação. Rādhā, enquanto personagem, mostra outro tipo de Govinda, humanizado, no qual os sentimentos humanos comuns às relações amorosas se expressam intensamente. Assim, é possível ver um deus que se apaixona, entristece, pede perdão, sofre a separação, perde as forças, se ilude, deseja e vive de forma intensa tudo o que humanamente vivemos. A construção de Govinda e Rādhā que se evidencia nas canções e nas estrofes narrativas estabelece não apenas uma pastora individualizada, como se costuma apresentar em análises do poema, mas também um novo Govinda. O personagem pastor, ainda que herde muitos séculos de inúmeras narrativas, em vários gêneros de literatura, também ganha expressividade ao ser interlocutor da voz de Rādhā.

Rādhā, enquanto personagem, comporta uma graça em si mesma e paralelamente dá graça a seu companheiro, como se verá na leitura do poema.

SOBRE A TRADUÇÃO

A tradução aqui publicada foi feita originalmente entre 2000 e 2006, desde o início com intenção literária. Foi apresentada junto a um estudo do poema, do seu vocabulário e do seu contexto mítico como dissertação de mestrado para a Faculdade de Filosofia Letras e Ciências Humanas da Universidade de São Paulo (USP), sob a orientação do saudoso professor Mário Ferreira. Naquele momento, interessou muito discutir teoria da tradução, recriação poética, as vias da linguística e da semiótica. Foi um trabalho de caso pensado traduzir todo o poema em versos rimados. Os versos das canções ficaram metrificados, enquanto os versos narrativos ficaram livres. Essa escolha deriva da arquitetura original sânscrita, que utiliza modalidades diferentes de metrificação nessas duas dimensões do poema. Além da forma superficial, a métrica e a rima, foi minha intenção produzir efeitos sonoros e preservar as figuras de linguagem, dando-lhes o encanto da língua portuguesa, considerada a assimetria inerente ao ato de tradução.

No entanto, quando faltam simetrias, as línguas diferentes contam com seus recursos próprios, característicos dos seus sistemas fonéticos, de seus léxicos, das figuras de linguagem de sua tradição e das tradições literárias nelas fundamentadas, entre outras características. Assim, a tradução literária é entendida aqui como a busca de equivalências. Em meio aos dois polos, do sânscrito e do português, o poder de significação do *Canto para Govinda* (*Gītagovinda*) nos entrega, prontas, belas analogias e um repertório infalível de figuras nativas de muito interesse para o olhar poético.

Quase vinte anos depois, a tradução retorna revisada com o intuito de ganhar em beleza e fluidez, o que nos pareceu viável fazer sem romper com o tom original; afinal de contas, nossos tons mudam ao longo das décadas. Trata-se basicamente do mesmo trabalho, com algumas intervenções, mas o mesmo propósito. Sendo um poema de cerca de três centenas de estrofes, esperamos que, em meio a elas, a intenção de traduzir poeticamente tenha sido bem-sucedida.

Para a publicação em livro, optamos por criar introduções aos capítulos que lancem luz sobre algum ponto específico que possa diminuir a falta de familiaridade com a literatura sânscrita. A intenção é dar referências que possam apresentar pressupostos, ressaltar efeitos literários e descortinar sentimentos presentes nos diálogos. Essa opção se baseia no fato de que textos operam, entre outras coisas, com a dualidade esperado/não esperado, ou familiaridade/estranhamento. Leitores e leitoras pertencentes à cultura do poema têm mais familiaridade com as referências e a forma como são esculpidas na poesia, e terão a experiência do estranhamento proporcionada de acordo com intencionalidade da obra literária. Pessoas sem essa familiaridade, se ingressarem na leitura dos capítulos com uma pequena dose de informação, poderão ver com mais intensidade *como* as coisas são ditas, além de *o que* é dito. De qualquer forma, trata-se de uma opção pessoal; há leitores e leitoras que preferem nadar no mar de estranhamento para só depois da leitura buscar referências e informações. Nesses casos, as introduções dos capítulos devem ser dispensadas.

Além disso, este livro conta com um glossário de nomes próprios e epítetos. Há uma grande quantidade de nomes utilizados para a mesma figura, literária ou mitológica, e preferimos manter essa diversidade de nomes na tradução. Traduzimos boa parte dos nomes, procurando dar-lhes alguma graça e sentido em língua portuguesa. Esses nomes próprios, em português, podem ser consultados no glossário, que apresenta sinteticamente as descrições ou narrativas necessárias ao entendimento básico do poema.

Além disso, o livro traz a tradução de um episódio que precede a composição do *Canto para Govinda*, pertencente ao cenário da literatura religiosa dos Purāṇas, "Antiguidades". Trata-se do Viṣṇu Purāṇa, no qual vemos uma das primeiras descrições de Kṛṣṇa dançando com as pastoras. Sua leitura é uma forma de dar mais intensidade à experiência criativa trazida pela obra de Jayadeva.

As traduções de Barbara Stoler Miller, Lee Siegel, N. S. R., Fernando Tola e Stella Sandahl-Forgue, em suas respectivas línguas, foram referências fundamentais para o estudo do poema original sânscrito e trazem introdução, análise, apresentação e notas que balizaram meu entendimento do poema em suas dimensões culturais, estéticas e místicas.

No campo dos gratos diálogos que ajudaram a compor esta tradução, lembro dois grandes entusiastas do empreendimento: professor Carlos Alberto da Fonseca, que acolheu com muito interesse minha intenção de traduzir o poema ainda na graduação, como pesquisa de iniciação científica, e o já mencionado professor Mário Ferreira, meu orientador no mestrado e incentivador para que eu desse contorno intelectual ao gosto pela cultura indiana. Ele próprio tinha imenso apreço pelos aspectos técnicos, estéticos e teóricos da tradução, o que trazia para sua orientação sobre meu mestrado.

Muitas foram as pessoas que contribuíram para a realização deste trabalho, seja anos atrás, seja para a sua recente revisão e publicação. A todas elas, meus agradecimentos. Destaco o papel do professor Adriano Aprigliano, que, ao longo de muitos anos, com cumplicidade acadêmica e amizade, compartilhou comigo seus estudos e seu olhar técnico e inestimável para a abordagem da língua sânscrita. Agradeço também às alunas e aos alunos que estiveram em meus cursos no IEL (Unicamp), na FFLCH (USP), no Instituto Paulista de Sânscrito, no Ashram Urbano e em outros cursos onde atuei como convidado para falar sobre a Índia antiga, tema que ainda hoje não deixa de me entusiasmar, além de prover os meios de seguir me dedicando integralmente à pesquisa e à docência.

A Rosana, minha esposa, e Celeste, minha filha, agradeço pelo convívio amoroso que inspira e apoia este e tantos outros empreendimentos.

O projeto, nas fases da iniciação científica e do mestrado, teve o financiamento do CNPq, sem o qual a tradução e os anos de formação e pesquisa que a embasam não seriam possíveis. Agradeço e dedico este trabalho às pessoas que lutam para preservar, valorizar e ampliar a universidade pública, a pesquisa e a extensão em nossa sociedade.

Guia de pronúncia do sânscrito

Para as palavras em sânscrito se harmonizarem com a cadência da língua portuguesa, sugerimos as seguintes orientações, que são adaptações baseadas na correta pronúncia da língua sânscrita, mas com o intuito de aproximar os termos estrangeiros de falantes da língua portuguesa.

VOGAIS

Os traços acima das vogais (ā, ī, ū) trazem um alongamento para elas, que poderá ser adaptado ao contexto rítmico do português se for pronunciado durando o dobro do tempo de uma vogal comum. "Yamunā", por exemplo, soaria em português como "Yamunaa", e "Padmāvatī" seria como "Padmaavatii". A letra R com o ponto embaixo (ṛ) deve ser pronunciada como uma vogal, de modo a permitir que a consoante que está junto dela apoie-se nela e forme uma sílaba. Por exemplo, "kṛ", de Kṛṣṇa, soa como algo entre "kr'i" e "kr'e", em que a vogal de apoio "i-e" é brevíssima.

CONSOANTES

A letra G tem sempre o som de *ga*, *gue*, *gui* etc. Assim: Gītagovinda é pronunciada como Guiitagovinda. A letra

C tem o som de *tch* (como em "tchau"), mesmo em formas como *ci*. É o que explica "*cakra*" soar como "tchakra". A letra J tem som de *dja*, Jayadeva = D*j*ayadeva. A letra S com o acento agudo (ś) tem o som de "ch", como em "śrī" que se pronuncia como "chrii". As consoantes que carregam um ponto embaixo (ṭ, ḍ, ṇ, ṣ) são consoantes retroflexas e, por serem inexistentes em português, a solução que nos dá mais fluidez é adaptá-las ao que há em nossa língua e pronunciá-las como se fossem os nossos T, D, N e CH, respectivamente.

A letra N com ponto embaixo ou til acima e a letra M com ponto embaixo (ṅ, ñ, ṃ) podem ser lidas de forma adaptada se pronunciarmos essas letras simplesmente como fazemos em português, isto é, sem os sinais acessórios.

A pronúncia da letra H, quando ocorre em posição inicial (como em Hari) ou entre vogais, deve permitir que o ar produza um som suave ao passar pela garganta, como o H da língua inglesa em "*house*", por exemplo. Quando o H aparece depois de outra consoante, deve ser pronunciado como uma "aspiração" que soa junto da consoante, como na pronúncia rápida da sequência de palavras em inglês "*red hot*". É o que acontece em "Maad^{h}ava" (*Mādhava*).

A letra R em início de palavra tem o som que ela representa quando está entre duas vogais em língua portuguesa, como em "cara". Assim, ela deve soar como se estivesse antecedida por uma vogal qualquer: "[a]Raadhaa" (*Rādhā*).

Por fim, devemos lembrar de que toda palavra estrangeira, quando é pronunciada dentro do contexto de outra língua, ganha os contornos musicais da língua que a recebe, seja no ritmo, seja no tom.

Canto para Govinda

Capítulo primeiro

DĀMODARA DELEITADO

O capítulo primeiro, chamado "Dāmodara deleitado" (*sāmoda-dāmodara*), retoma uma bela história de Govinda. Dāmodara significa "de barriga amarrada" e remete ao episódio em que Govinda, ainda criança, foi amarrado por sua mãe pela cintura. Conta-se que, quando Yaśodā, sua mãe, estava batendo manteiga, Govinda, querendo mamar, a fez interromper o trabalho e amamentá-lo. Pouco depois, ela deixou o menino e partiu às pressas porque havia leite prestes a ferver no fogo. Indignado e mordendo os beiços, ele quebrou o pote de manteiga com uma pedra e foi comê-la dentro de casa. Yaśodā riu ao ver o pote quebrado, mas quando encontrou o menino fartando-se com a manteiga e dando-a também a um macaco, quis repreender a travessura amarrando o pequeno a um pilão. Como a corda que tinha à mão era pequena, acrescentou mais um pedaço, que, por encantamento, continuava insuficiente. Pedaço após pedaço, a corda permanecia curta, até que o filho, ao perceber a mãe exausta, permitiu ser amarrado. Arrastando-se para o vão de duas árvores e com o pilão atravessado, arrancou-as do solo. As árvores se revelaram dois deuses punidos cem anos celestes antes e transformados naquelas árvores.

O uso desse nome remete à figura da criança miraculosa, constituída por uma aparência miúda e traquinas e, ao mesmo tempo, por um ser imenso e judicioso. Assim,

Dāmodara é um nome que bem servirá ao intuito de louvor do início da obra.

Neste capítulo introdutório, as referências literárias que antecedem a composição do poema *Canto para Govinda* já emergem na primeira estrofe, que apresenta o assunto e o tom da obra: o amor de Govinda sob a emoção estética do erotismo. O poeta Jayadeva se apresenta junto a seus contemporâneos, com a exaltação do que seriam suas virtudes poéticas, as quais provavelmente eram confirmadas nas sessões públicas de recitação.

Seguem as duas primeiras canções com o louvor aos aspectos cósmicos de Govinda, sob a perspectiva dos dez avatares, na primeira, e de seus feitos heroicos e sua forma cósmica, na segunda, situando assim a sua dimensão divina.

Da terceira canção em diante, a humanidade dos protagonistas Govinda e Rādhā aparece, e assim se desenvolve a história de amor, temperada com os diversos sentimentos que cada pessoa é capaz de reconhecer em suas próprias vivências.

1 “Pelas nuvens, o céu está fechado,
com árvores casca-preta, o bosque sem luzes.
À noite, ele fica amedrontado,
ó Rādhā, à sua morada o conduzes.”
Nanda desse modo exigiu,
mas ambos desviaram para o matagal ao lado.
E na margem da Yamunā, o rio,
reinam, de Rādhā e Mādhava, os prazeres velados.

2 História dos jogos de paixão de Śrī e Vāsudeva,
quem compõe esta obra é o poeta Jayadeva
aos pés de Padmāvatī; é dos bardos o soberbo,
sua mente é um templo pintado pela Deusa-do-verbo.

3 Umāpatidhara floreia com as palavras, Jayadeva é magistral
com a justeza no arranjo dos vocábulos, Śarana é aplaudido
pela destreza com o intricado, para Govardhana não há rival
na composição cabível, sincera e elevada do erotismo,
e Dhoyin, que tem notória memória, é o poeta principal.

4 Se na memória de Hari tua mente se enleva,
se nas artes amorosas ela fica ardente,
ouve a inspiração do poeta Jayadeva,
em canções cativantes, suaves e cadentes.

CANÇÃO I — A SER CANTADA COM O RAGA MĀLAVA[7]

5 O Saber sustentando, nos mares do entretempo,
sem tormento, na conduta de um barco perfeito.
Nascido em corpo de Peixe, avante, Soberano!

6 A Terra habitando, na imensa travessia, vosso dorso,
grandeza de uma roda caluda abarcando o Globo.
Nascido em forma de Tartaruga, avante, Soberano!

7 O Globo ocupando, acoplado, o pico de vosso chifre,
tal como a superfície invisível da Lua em eclipse.
Nascido em forma de Javali, avante, Soberano!

8 No nobre lótus da mão, vossa presa, prodigiosa garra,
traz o Capa-dourada, feito miúda abelha esmagada.
Nascido em forma de Homem-leão, avante, Soberano!

9 Anão sobre-humano, nos passos, a Bali enganais,
do néctar da unha dos pés, a pureza dos mortais,
Nascido em forma de Anão, avante, Soberano!

10 A dor da vida aplacando, destruindo a maldade,
no fluido vermelho dos xátrias, lavais a humanidade
Nascido em forma de Senhor-Bhṛgu, avante,
[Soberano!

11 Agradando, na contenda, aos regentes de quadrante,
dos quadrantes, banis Bali, de dez coroas, elegante.
Nascido em corpo de Rāma, avante, Soberano!

12 Ostenta o manto, nuvem densa em corpo iluminado,
transforma a Yamunā, com o terrível toque do arado.
Nascido em forma de Homem-do-arado, avante,
[Soberano!

13 Eis que, originando de leis rituais, a tradição
de abater animais, censurais, com pio coração.
Nascido em corpo de Buddha, avante, Soberano!

14 A espada empunhando, um estandarte temido
pior que um cometa, na ceifa do inimigo,
Nascido em corpo de Kalkin, avante, Soberano!

15 Ouve este gostoso, auspicioso, sublime poema,
que traz o viço da vida, pelo excelso Jayadeva,
Nascido em décupla forma, avante, Soberano!

16 Salva os saberes, sustenta a Terra, guia o globo,
destroça o demônio, burla Bali, derrota o guerreiro,
extirpa Paulastya, carrega o arado, prega a piedade,
impede o inimigo. Louvor a ti, Kṛṣṇa, nas dez formas!

CANÇÃO 2 — A SER CANTADA COM O RAGA GURJARĪ

17 No círculo do seio da Deusa encostado, com brincos
[enfeitado,
glória à bela guirlanda de flores. Avante, Jayadeva Hari!

18 Envolto na roda do Sol como ornamento, fim do
[condicionamento,
glória ao cisne sobre as mentes sábias. Avante, Jayadeva Hari!

19 Imune ao fel do demônio serpente, bem-aventurança das gentes,
glória ao Sol do lótus dos Yādavas. Avante, Jayadeva Hari!

20 Os Madhu, Mura e Naraka destruídos, sobre o Garuḍa
[investido,
glória à fonte de prazer das divindades. Avante, Jayadeva
[Hari!

21 Esplendor da pétala de lótus na mirada, a existência
[libertada,
glória ao abrigo dos três mundos. Avante, Jayadeva Hari!

22 Pela filha de Janaka embelezado, o Transgressor derrotado,
glória ao Dez-cabeças morto em luta. Avante, Jayadeva
[Hari!

23 Belo como a nuvem sempiterna, o monte Mandara carrega,
glória à ave frente ao rosto de Śrī feito o luar. Avante,
[Jayadeva Hari!

24 Feita pelo excelso poeta Jayadeva, a composição alegra,
glória, com amor e bom augúrio. Avante, Jayadeva Hari!

25 Como que pela Paixão estampado, que o peito
do Algoz-de-Madhu satisfaça vosso afeto,
molhado com o suor do cansaço do inquieto Incorpóreo,
selado pelo açafrão deixado no abraço do seio da Deusa-lótus.

26 Em intensa busca por Kṛṣṇa, em meio à primavera,
de corpo delicado feito jasmim, a vaguear pela floresta,
sob a febre do Causticante, em sofrimento crescente,
eis Rādhā, a quem a amiga disse isto poeticamente:

CANÇÃO 3 — A SER CANTADA COM O RAGA VASANTA

27 Vindo do Malaya, o vento brando,
no afago de lianas palpitando;
em cabanas do bosque, a zoeira
de pios de cucos e enxames de abelhas.
Aqui está Hari com moças a bailar,
Amiga, a primavera é enlevante!
Mas, aos solitários, é enervante.

28 Lamentos de mulheres de viajantes,
com desejos de amor delirantes;
maços dos abricoteiros floridos,
por enxames de abelhas revolvidos.
Aqui está Hari com moças a bailar,
Amiga, a primavera é enlevante!
Mas, aos solitários, é enervante.

29 Cascas-pretas com ramos de rebentos,
curvadas a antílopes famintos;
feito garras do Nascido-do-intento,
jardins de bútea aos moços ferindo.
Aqui está Hari com moças a bailar,
Amiga, a primavera é enlevante!
Mas, aos solitários, é enervante.

30 O cetro de ouro do rei Inebriante,
nas flores madeixa em botões brilhantes;
à aljava do Alvitreiro se assemelha,
o buquê de trombetas cheio de abelhas.
Aqui está Hari com moças a bailar,
Amiga, a primavera é enlevante!
Mas, aos solitários, é enervante.

31 Botões de carinho sorrindo,
vendo gente com pudor se esvaindo;
como setas flechando as solitárias,
os pandanos apontam as alturas.
Aqui está Hari com moças a bailar,
Amiga, a primavera é enlevante!
Mas, aos solitários, é enervante.

32 A exalação de arranjos verdejantes,
com os maurás, de aroma excitante;
é um desafio para a juventude,
e até a alma dos ascetas aturde.

Aqui está Hari com moças a bailar,
Amiga, a primavera é enlevante!
Mas, aos solitários, é enervante.

33 Rebentando arrepiada a mangueira,
com o afago da alva trepadeira;
o bosque de Vṛndā purificado,
com águas da Yamunā por todo lado.
Aqui está Hari com moças a bailar,
Amiga, a primavera é enlevante!
Mas, aos solitários, é enervante.

34 Do excelso Jayadeva, eleva a memória
do cerne da vida de Hari a história,
ornada com o frêmito do Inebriante
e o namoro da primavera enlevante.
Aqui está Hari com moças a bailar,
Amiga, a primavera é enlevante!
Mas, aos solitários, é enervante.

35 Eis que aqui põe a alma em chamas
o vento vigoroso do Cinco-xaras,
fluindo aliado ao perfume do pandano,
e a floresta vai defumando,
junto aos ramos do jasmim viçoso
com o pólen perdido no alvoroço.

36 Em confuso tom, os cucos farreando nos brotos trêmulos
[da mangueira,
junto às abelhas ávidas do perfume exalado, fazem
[abrasar as orelhas.
Assim são os dias passados pelos viajantes, que, no despertar
[da vontade,
um átimo de atenção no pensamento é o máximo da união
[com a cara-metade.

37 Entre abraços de diversas mulheres, bailando radioso,
entregue a um fantástico gozo,
o Rival-de-Mura foi exibido de longe pela amiga,
que de novo falou diante de Rādhikā:

CANÇÃO 4 — A SER CANTADA COM O RAGA RĀMAKARĪ

38 Untada com sândalo a pele escura,
sob uma guirlanda e um manto molhado,
traz um sorriso no rosto enfeitado
por brincos vibrando na travessura.
Hari goza aqui, na roda sedutora
em que gozam as lindas pastoras.

39 Sentindo Hari de paixão tomado,
no volume dos seios inflamados,
uma pastora o reverencia
com uma exaltada melodia.
Hari goza aqui, na roda sedutora
em que gozam as lindas pastoras.

40 Do Inimigo-de-Madhu, o irradiante
rosto de lótus traz, em seu olhar,
o Amor vivendo um vaivém palpitante,
contemplado por outra sem cessar.
Hari goza aqui, na roda sedutora
em que gozam as lindas pastoras.

41 Para sussurrar, outra mulher,
com belos quadris, de rosto colado,
beijou o amante, com grande prazer,
no pé do ouvido arrepiado.
Hari goza aqui, na roda sedutora
em que gozam as lindas pastoras.

42 Desejosa das artes de amar,
com a mão em seu manto, outra o puxou
para passear, no bosque sedutor,
na orla das águas da Yamunā.
Hari goza aqui, na roda sedutora
em que gozam as lindas pastoras.

43 Pulseiras tinindo ao ritmo das palmas,
a flauta suave — eco da dança;
uma bela jovem em transe balança,
ao lado de Hari, que a exalta.
Hari goza aqui, na roda sedutora
em que gozam as lindas pastoras.

44 Beija uma, em outra dá um abraço,
traz ao gozo uma outra ardente,
fita a graça de um sorriso reticente
e aborda uma encantadora ao lado.
Hari goza aqui, na roda sedutora
em que gozam as lindas pastoras.

45 De Jayadeva, excelso poeta,
que este segredo que se celebra,
do Algoz-de-Keśin e o gozo no bosque,
sensualmente propague boa sorte.
Hari goza aqui, na roda sedutora
em que gozam as lindas pastoras.

46 Produzindo um gozo no gesto amoroso com cada uma das
[mulheres,
o Incorpóreo aflora no esplendor dos lótus negros de sua pele,
pelas belas pastoras é abraçado desenfreadamente por
[todos os lados,
na primavera, amiga, ele joga com a graça do Amor
[encarnado.

47 O vento da montanha do Malaya sopra
para o monte de Īśa, com o desejo
de quem sofreu a picada de uma cobra,
a caminho de um mergulho no gelo.
E rompem os cucos, quando notam, vivazes,
o pico das lindas mangueiras florescendo:
cuco! cuco! seus pios altos e suaves.

"Dāmodara Deleitado"
é o nome do primeiro capítulo do sublime
Canto para Govinda

Capítulo segundo

O INCANSÁVEL ALGOZ-DE-KEŚIN

O capítulo segundo traz duas canções introduzidas por uma estrofe que narra o amor universal de Hari, ou Govinda. Quando se lê na tradução em português "universalizando seu afeto" (sādhāraṇa-praṇaye), entende-se aí um diálogo com o campo da literatura devocional, que vê esse pastor como um deus que proporciona a cada adepto ou adepta o sentimento de uma relação direta e única. Ao mesmo tempo em que o poema parte desse repertório comum ao culto a Kṛṣṇa, elabora dois grandes e conhecidos sentimentos passionais nas canções seguintes.

A quinta canção, que abre o segundo capítulo, é uma fala de Rādhā que exterioriza recordações boas do seu amor e, de certa forma, reproduzem de maneira positiva aquilo que a desapontou em Govinda: seu charme e sua relação com as outras pastoras. E aí se vê um dilema: uma mente confusa que quer perdoar o insulto, mas também povoada pelo sentimento de aversão à pessoa amada.

Na sexta canção, alternando as pessoas verbais e construindo versos admiráveis, Rādhā canta sobre si e Govinda de modo a construir um crescendo que vai da admiração ao desejo, que também é uma memória da união com a pessoa amada. Esse crescendo expressa um dilema em relação aos sentimentos expressos na canção anterior.

Essas falas de Rādhā, como o restante do poema, estão construídas sobre os padrões da poética sânscrita, com imagens relacionadas à primavera, ao desabrochar das flores, zunidos de abelhas, entre outras — lugares-comuns convencionalmente reconhecidos com elementos de uma cena amorosa. De acordo com os padrões poéticos dessa forma de literatura, esses e outros elementos ambientam o espaço para a expressão do amor e do erotismo. Daí a graça da última estrofe do capítulo, que é uma fala atribuída à Rādhā, na qual expõe seu desconforto e irritação justamente com os aspectos de um cenário que deveria trazer charme e sedução.

1 Enquanto Hari, universalizando seu afeto, passeava no campo,
Rādhā foi para outra parte, enciumada por não ser a
[preferida;
sob zumbidos e volteios de abelhas, discretamente,
[em algum canto,
no alto do bosque das lianas, mesmo desolada, falou para
[amiga:

CANÇÃO 5 — A SER CANTADA COM O RAGA GURJARĪ

2 A flauta fascinante soando doce,
no licor dos lábios executada;
trêmulas, as argolas nas faces,
vibrante, a tiara, e inquieta, a mirada.
Recorda meu coração que aqui Hari fez graça,
na roda de dança, absorto na sedução.

3 O cabelo rodeado pela órbita
da lua do penacho do pavão;
as vestes, coradas feito nuvens sólidas,
sob o arco vário do Senhor-do-trovão.[8]
Recorda meu coração que aqui Hari fez graça,
na roda de dança, absorto na sedução.

4 Das ancudas, entre muitas mulheres,
os beijos na boca fica ansiando;
lábios doces na luz do riso alegre,
como o botão da flor de vive-em-bando.
Recorda meu coração que aqui Hari fez graça,
na roda de dança, absorto na sedução.

5 No florir de seus braços eriçados,
milhares de pastoras abraçadas;
nas mãos, pés e peito ornados com pedras,
cujos brilhos iluminam as trevas.
Recorda meu coração que aqui Hari fez graça,
na roda de dança, absorto na sedução.

6 O símbolo na testa é superior
à lua surgindo no céu nublado;
o portal do peito é atormentador
para as curvas dos seios encorpados.
Recorda meu coração que aqui Hari fez graça,
na roda de dança, absorto na sedução.

7 Como dois makaras,[9] no rosto esplêndido,
brincos estonteantes feitos de pedras;
junto ao manto amarelo, grande séquito:
deuses, semideuses, homens e ascetas.
Recorda meu coração que aqui Hari fez graça,
na roda de dança, absorto na sedução.

8 Comigo, ao pé da kadamba[10] frondosa,
acalma o terror da Era-tenebrosa,
com olhos do Incorpóreo ondulantes,
provoca um deleite deslumbrante.
Recorda meu coração que aqui Hari fez graça,
na roda de dança, absorto na sedução.

9 Do Excelso Jayadeva, eis a história
do Rival-de-Madhu, mágico e formoso,

segundo os passos de Hari — memória
dos ensinamentos dos virtuosos.
Recorda meu coração que aqui Hari fez graça,
na roda de dança, absorto na sedução.

10 Enumera uma lista de atributos;
raiva, nem mesmo confusa, ela sente:
mostra alegria e perdoa o velho insulto.
Que faço, se é sinistra a minha mente?
E ela é de novo tomada pelo Amor, enquanto Kṛṣṇa,
sem mim, fica junto das moças em desejo crescente.

CANÇÃO 6 — A SER CANTADA COM O RAGA MĀLAVA

11 Caminho no bosque em solidão,
passa a noite secreta ocultado;
vibro o olhar para todos os lados,
sorri no clima intenso da Paixão.
Faze gozar, ó amiga, comigo,
nutrida pelo torpor do Amor,
o sublime Ceifador-de-Keśin.

12 Coro como no primeiro encontro,
encanta com cem gracejos gentis;
falo, com um sorriso doce e pronto,
afrouxa a roupa de meus quadris.
Faze gozar, ó amiga, comigo,
nutrida pelo torpor do Amor,
o sublime Ceifador-de-Keśin.

13 Deito no leito fresco do gramado,
recosta-se longamente em meus seios;
cubro-o com beijos e abraços,
me abraça e bebe em meus beiços.
Faze gozar, ó amiga, comigo,

nutrida pelo torpor do Amor,
o sublime Ceifador-de-Keśin.

14 Cerro os olhos por causa do langor,
sente arrepios em seu lindo semblante;
encho todo meu corpo com suor,
treme no torpor do Inebriante.
Faze gozar, ó amiga, comigo,
nutrida pelo torpor do Amor,
o sublime Ceifador-de-Keśin.

15 Sussurro como um cuco de voz meiga,
pela arte do amor fica tomado;
solto as flores na trança desfeita,
risca, com as unhas, meus seios pesados.
Faze gozar, ó amiga, comigo,
nutrida pelo torpor do Amor,
o sublime Ceifador-de-Keśin.

16 Vibro a faixa de joias em meus pés,
experimenta o êxtase supremo;
faço meu cinturão soar de vez,
beija-me ao agarrar meus cabelos.
Faze gozar, ó amiga, comigo
nutrida pelo torpor do Amor,
o sublime Ceifador-de-Keśin.

17 Peso ao sabor do encontro com a Paixão,
entreabre o lótus de sua visão;
caio feito liana sem vigor:
o Algoz-de-Madhu eleva o Amor.
Faze gozar, ó amiga, comigo,
nutrida pelo torpor do Amor,
o sublime Ceifador-de-Keśin.

18 Do Excelso Jayadeva, que este canto
traga alegremente boa ventura,

com a fala da pastora em pranto
e o gozo do Rival-de-Madhu.
Faze gozar, ó amiga, comigo,
nutrida pelo torpor do Amor,
o sublime Ceifador-de-Keśin.

19 De sua mão, a lúdica flauta caída,
pela transpiração, a face molhada,
o olhar de soslaio para as queridas,
de sobrancelhas feito lianas curvadas.
Com muitas ao redor, vejo Govinda e desejo,
com o sorriso de néctar no semblante sedutor,
ele fica constrangido ao me supor no arvoredo.

20 O romper dos rebentos da aśoka,[11] em feixes com
[gotículas rutilantes,
junto à brisa que vem do mato e paira sobre o lago,
[é muito irritante.
Rodeado pelo zumbido frenético das abelhas, companheira,
não dá nenhum prazer o afloramento no alto das mangueiras.

"O incansável Algoz-de-Keśin"
é o nome do segundo capítulo do sublime
Canto para Govinda

Capítulo terceiro

O CONFUSO ALGOZ-DE-MADHU

Neste capítulo de uma só canção, a voz é a de um Govinda lamentoso e perplexo com a separação. Ele expressa um confuso arrependimento por ter permitido o afastamento de Rādhā.

Sua voz solitária exterioriza um sentimento que é apresentado sob a metáfora das várias vidas que se vive ao longo do ciclo de renascimentos. A ideia é significativa, pois a força dos vínculos que indivíduos carregam de uma existência a outra é tema recorrente no pensamento indiano. Mais que isso, é matéria-prima de infindos tratados no campo filosófico e religioso. Estar preso a um amor ou a atos de vidas pregressas sinaliza uma situação passional absolutamente incontornável.

As estrofes narrativas que seguem ao fim da canção, ainda sob a voz lamentosa de Govinda, descrevem a intensa chama que a separação acende nos apaixonados. Dessa vez, dirigida ao deus Kāma, que, com seu arco e flechas feitas de flores, torna as pessoas vulneráveis ao apaixonamento.

Aqui, faz-se alusão à narrativa de quando o deus do desejo e do amor foi contratado para tirar Śiva do ascetismo, visto que era fundamental que ele se apaixonasse e encontrasse o prazer amoroso para que a criação do mundo seguisse harmoniosamente. A narrativa evocada estabelece um paralelismo entre divindades, ao mesmo tempo em que o Govinda que reclama da violência do deus do amor o faz em toda sua humanidade, sentindo intensa dor pela separação — diferentemente de Śiva, também chamado de Hara, que reduziu o corpo de Kāma a cinzas.

1 E Govinda deixou as beldades, no coração mantendo
[Rādhā
como os nexos que conectam às memórias das vidas
[passadas.

2 De mente ferida pelas flechas do Sem-corpo,
buscando arrependido pela Rādhā querida,
ao fim da margem da Filha-de-Kalinda,
Mādhava no bosque lamentou desse modo.

CANÇÃO 7 — A SER CANTADA COM O RAGA GURJARĪ

3 Ela partiu ao me ver por mulheres envolvido
eu não a impedi por medo de ser ofensivo.
Ai, ai, ai! Por descaso meu, irada ela se foi!

4 O que dirá e fará tão só? De que me servem bens?
Minha vida? Minha casa? E os parentes também?
Ai, ai, ai! Por descaso meu, irada ela se foi!

5 Penso no semblante dela com a celha arqueada
— vermelha flor de lótus pela abelha desmanchada.
Ai, ai, ai! Por descaso meu, irada ela se foi!

6 Intenso a ela agrada sem cessar meu coração;
por que no bosque eu busco lamentando sem razão?
Ai, ai, ai! Por descaso meu, irada ela se foi!

7 Penso em teu coração sofrendo enciumado;
como pedir perdão se tu estás tão retirada?
Ai, ai, ai! Por descaso meu, irada ela se foi!

8 Feito estrela fugidia, tu vais da minha frente;
por que não dás, como antes, um abraço ardente?
Ai, ai, ai! Por descaso meu, irada ela se foi!

9 Perdoa-me, nunca mais faço coisa parecida;
o desejo arde — encontra-me, ó mulher linda!
Ai, ai, ai! Por descaso meu, irada ela se foi!

10 Do Esposo-de-Rohiṇī sobre o mar de Kindubilva
— eis um quadro de Jayadeva, que a Hari se inclina.
Ai, ai, ai! Por descaso meu, irada ela se foi!

11 Em meu peito, trago uma grinalda de lótus
— não é a mesma do Senhor-das-serpentes.[12]
No pescoço, um colar de lírios em brotos
— diferente daquele veneno resplandecente.
E o pó de sândalo não é a cinza!
Ó Incorpóreo, não me agridas.
Por que a mim, abandonado pela amada,
persegues com raiva, confundindo com Hara?[13]

12 Não tomes em tua mão a flecha de mangueira.
Não armes o arco. A tudo dominas com a brincadeira!
Onde está o vigor de quem derruba gente lesa?
Pelo olhar relanceante da que tem olhos de gazela,
vibrante como a flecha do Nascido-do-intento,
abatido, não mais se anima meu alento.

13 Que o olhar de esguelha, flecha armada
no arco da sobrancelha, atormente o coração.
Que aja como a Morte a trança ondulada,
que tem como essência a escuridão.
Possa propagar a desilusão, ó menina,
esse lábio vermelho como a fruta do bimba![14]
Por que o contorno de teus seios lindos
com meu alento está se divertindo?

14 "As inquietudes trêmulas do olhar charmoso,
os prazeres dos toques;
o licor que pinga da fala melindrosa,
o aroma da face de lótus;
os lábios de bimba açucarados..."
Mesmo longe do campo de visão,
a mente em comunhão nela está assimilada.
Quanto mais cresce a dor da separação?

15 "Feito um graveto, o supercílio é o arco,
as flechas são o vaivém no canto dos olhos
e a corda é o perfil da orelha." Está consagrado
a ela, deusa viva que é o triunfo do Incorpóreo,
o arsenal desse deus alvitreiro
— derrota da humanidade inteira?

"O confuso Algoz-de-Madhu"
é o nome do terceiro capítulo do sublime
Canto para Govinda

Capítulo quarto

O CHARMOSO ALGOZ-DE-MADHU

Neste capítulo, as duas canções são enunciadas pela amiga, que reporta a Govinda o quão intensa é a tristeza de Rādhā com a separação. Além de reportar, sua fala quer convencer Govinda a findar o sofrimento dela. Para isso, narra cenas em que a pastora experimenta coisas boas como ruins, fazendo uso do rico repertório literário de palavras que portam figuras poéticas consideradas como expressão do sentimento estético do erotismo. Assim, o sândalo e a brisa que vem da montanha, ao invés de remeter à alegria e à excitação presentes no encontro de pessoas que se desejam, remetem à tristeza e ao sofrimento vindos da dor da separação. Esse sentimento intenso relatado enaltece o poder de Kāmadeva, o deus do amor, aqui referido diversamente como Cinco-xaras, inebriante, sem corpo, alvitreiro e causticante. Trata-se assim de um bom exemplo de como o seu poder é infinito, visto que Rādhā foi da profunda decepção às insuportáveis saudades. O sentimento das saudades é sugerido na expressão *tava virahe* ("na separação de ti"), no refrão da canção 9, que, ao ser repetida, reforça a emoção inerente ao distanciamento da pessoa amada em cada elemento da descrição do sofrimento de Rādhā. Esse afeto, misturado à decepção, leva a protagonista a ter sentimentos opostos aos esperados, como no caso da aversão ao sândalo, e a perceber realidades opostas, como expressa a estrofe narrativa 10, que diz que o deus do amor (Kāma) age sobre ela como o deus da morte (Yama).

1 Entristecido pelo fardo do amor, sem vigor,
parado num canavial na orla da Yamunā,
para Mādhava, a amiga de Rādhikā falou:

CANÇÃO 8 — A SER CANTADA COM O RAGA KARṆĀTA

2 Proíbe o sândalo, confusamente,
considera o luar tormentoso,
Por contatar a toca das serpentes,
o sopro do Malaya venenoso.
Separada, ela está sofrendo
e, com o temor das setas do Amor,
está unida a ti no pensamento.

3 Contra as flechas do Inebriante atiradas,
sem descanso, trama uma capa imensa
de pétalas de lótus molhadas
no próprio coração, para tua defensa.
Separada, ela está sofrendo
e, com o temor das setas do Amor,
está unida a ti no pensamento.

4 Para a doçura de tua união
e o gozo das artes da sedução,
feito voto, o leito é feito de flor:

gramado pleno das flechas do Amor.
Separada, ela está sofrendo
e, com o temor das setas do Amor,
está unida a ti no pensamento.

5 Em seu sublime semblante de lótus,
traz um fardo de lágrimas caídas,
tal como o néctar na lua em destroços,
que pelo grande Rāhu foi mordida.
Separada, ela está sofrendo
e, com o temor das setas do Amor,
está unida a ti no pensamento.

6 O senhor igual ao Cinco-xaras,
com almíscar, pinta em solidão,
devota-se pondo aos pés um makara
e a flecha, flor de mangueira, na mão.
Separada, ela está sofrendo
e, com o temor das setas do Amor,
está unida a ti no pensamento.

7 Declara isto palavra por palavra:
"Estou caída a teus pés, ó Mādhava!
No mesmo instante em que viras o rosto
até o doce luar queima meu corpo."
Separada, ela está sofrendo
e, com o temor das setas do Amor,
está unida a ti no pensamento.

8 Meditando, imagina a si mesma
perante o Senhor, que está longínquo;
resmunga, ri, sucumbe em choramingo,
muito agitada, ela abranda a tristeza.
Separada, ela está sofrendo
e, com o temor das setas do Amor,
está unida a ti no pensamento.

9 Para encenar com o coração
este poema do excelso Jayadeva,
deve-se entoar a fala da parceira
da pastora aflita na desunião.
Separada, ela está sofrendo
e, com o temor das setas do Amor,
está unida a ti no pensamento.

10 Sua morada está igual a uma floresta,
com o bando de queridas amigas que a enreda,
e, como incêndio no mato, é o calor de seu alento.
O amor, um tigre[15] a brincar, o deus da morte arremeda
com ela, feito gazela, desde teu afastamento.

CANÇÃO 9 — A SER CANTADA COM O RAGA DEŚĀKHYA

11 Dependurada no peito,
até a linda corrente
considera um grande peso,
ela, de corpo dormente.
Rādhikā com saudade de ti,
ó Algoz-de-Keśin.

12 O unguento de sândalo,
ainda que fresco e ameno,
em sua pele, se assustando,
ela vê como veneno.
Rādhikā com saudade de ti,
ó Algoz-de-Keśin.

13 O vento do próprio alento
imensamente extenso,
como a ardência do Inebriante,
ela sente esbraseante.
Rādhikā com saudade de ti,
ó Algoz-de-Keśin.

14 Úmidos, cheios de gotas,
lança a todos os lados
os olhos, feito lótus
de talos arrancados.
Rādhikā com saudade de ti,
ó Algoz-de-Keśin.

15 Mesmo o leito de rebentos,
diante de sua mirada,
toma como um sortimento
de chamas enfileiradas.
Rādhikā com saudade de ti,
ó Algoz-de-Keśin.

16 Inabalável, crescente,
a lua na escuridão:
é a face que não desprende
da palma de sua mão.
Rādhikā com saudade de ti,
ó Algoz-de-Keśin.

17 Hari! Hari! Roga assim,
incessante e em comoção,
como se fosse seu fim,
o intento da solidão.
Rādhikā com saudade de ti,
ó Algoz-de-Keśin.

18 Do excelso Jayadeva,
que o dito cantado assim
alegre os fiéis à senda
do alegre Matador-de-Keśin.
Rādhikā com saudade de ti,
ó Algoz-de-Keśin.

19 Ela palpita, suspira, chora, estremece,
ofega, contempla, remexe;
tapa os olhos, cai, levanta e desfalece.
Ó figura de médico celeste!
Nessa ardência do Sem-corpo,
por teu sentimento, se és generoso,
por que não trazer seu belo talhe à vida?
Do contrário, a morte não olvida.

20 Aquela que padece pelo Alvitreiro
com o néctar do mero toque de teu corpo se reanima.
Não libertas Rādhā desse martírio inteiro,
porque és mais cruel do que o raio, Irmão de Indra![16]

21 Longamente, seu tento se aflige na atenção ao lótus, lua
[e sândalo,
com o corpo estranhamente adoecido pela febre do Causticante.
Mas, levada pela fraqueza, apequenada na solidão, esperando,
revive num átimo a contemplar-te, de corpo fresco, único
[amante.

22 Antes, o cerrar de teus olhos era um tormento,
a separação, nem por um instante, por ela era permitida.
Como ela pode respirar nesse longo afastamento,
percebendo os ramos de mangueira com pontas floridas?

“O charmoso Algoz-de-Madhu”
é o nome do quarto capítulo do sublime
Canto para Govinda

Capítulo quinto

O DESEJOSO OLHOS-DE-LÓTUS

A amiga segue falando nas duas canções que compõem este capítulo, porém aqui ela conversa com Rādhā a pedido de Govinda. Na décima canção, a voz da amiga ecoa o pedido de Govinda e descreve a Rādhā uma situação moribunda, aborrecida, lacerante e lamentável, para utilizar termos do poema. Quem conta que a pessoa amada está nessas condições pretende provocar uma reação positiva, de interesse, em quem ouve. É o mesmo efeito que se quer com a canção seguinte, quando a amiga evoca um panorama adorável e sedutor para alimentar a curiosidade passional de Rādhā com imagens eróticas de grande intensidade literária.

A Paixão e o Amor, casal de deuses que cultiva o desejo capaz de unir afetiva e carnalmente um casal, fazem-se presentes na primeira estrofe da canção 11 e orientam a fala da amiga sobre esse sentimento. As situações descritas por ela remetem ao tom misterioso dos encontros às escondidas, como nos versos "os enfeites dos pés são tagarelas/ desveste esses rivais da sedução" (canção 11, estrofe 11), buscando inspiração em certas narrativas míticas nas quais Rādhā é descrita como mulher casada.

Na compreensão mística da devoção, a união com o ser divino acontece fora do campo do convencionalismo. As extensões dessa afirmação têm consequências muito amplas, mas explicando sinteticamente, o ideal de união mística é a superação da fronteira da individualidade, que se nutre do convencionalismo. Daí a estrofe 18, que descreve o encontro fortuito de um casal que se conhecia previamente, mas que, no anonimato da calada da noite, acredita estar se unindo pela primeira vez. Trata-se assim de uma tentativa de saída da convenção, isto é, a busca por um encontro que iria além da relação de um casal social, um encontro de amantes. O encontro de amantes é, no entanto, frustrado, pois o casal se reconhece após algumas trocas de carinhos. Ainda assim, a excitação segue intensa, pois o reconhecimento entre parceiros que se imaginavam desconhecidos produz um elemento surpresa que inunda ainda mais a atmosfera com a paixão. O jogo entre convencional e não convencional das relações entre casais carrega uma lógica que é bem mais abrangente do que o campo das relações humanas. Essa lógica abrange um universo amplo de reflexões relacionadas à compreensão da união mística, na qual a convencionalidade, isto é, as coisas comuns do mundo, ganham significados novos, ainda que permaneçam as mesmas em essência.

1 “Fico neste lugar. Vai tu, tranquiliza Rādhā,
e convence-a a vir aqui falando o que eu falar.”
Assim repetiu para a amiga, por ele orientada,
depois que partiu, como sendo suas palavras:

CANÇÃO 10 — A SER CANTADA COM O RAGA DEŚAVARĀḌĪ

2 Carregando o Inebriante, sopra a brisa do Malaya;
ramalhetes afloram, lacerando a alma solitária:
Amiga, separado de ti, ele se desespera.

3 Sob os raios gelados queimando, fica moribundo;
triste, chora com as setas do Inebriante caindo fundo:
Amiga, separado de ti, ele se desespera.

4 Ao zumbido do enxame de abelhas, tapa os ouvidos;
pensando no abandono, passa as noites aborrecido:
Amiga, separado de ti, ele se desespera.

5 Recusa a casa graciosa, mora na floresta imensa;
sempre rola no leito de terra e teu nome lamenta:
Amiga, separado de ti, ele se desespera.

6 O poeta Jayadeva narra expondo o solitário;

que Hari surja na mente alegre e faça bom trabalho:
Amiga, separado de ti, ele se desespera.

7 Mādhava está no antigo bosque de peregrinação do
[Inebriante,
onde a teu lado foram alcançadas as graças do Esposo-
[-da-Paixão.
O que anseia é o néctar dos jarros de teus seios num
[abraço ardente,
louvando a ti com séries de mantras, meditando sem
[interrupção.

CANÇÃO II — A SER CANTADA COM O RAGA GURJARĪ

8 Foi ao doce convite da Paixão,
vestido fascinante feito o Amor
— bela cintura, apressa tua união!
que teu coração siga seu senhor.
Na orla da Yamunā, na brisa doce,
lá ele está, de flores no pescoço.

9 Fazendo soar a flauta suave,
toca teu nome, como num namoro;
mesmo a poeira lhe é adorável
— vem com o vento que toca teu corpo.
Na orla da Yamunā, na brisa doce,
lá ele está, de flores no pescoço.

10 Ao moverem as folhas e as aves,
tua vinda, ele logo adivinha
— arranja o leito e pousam fugazes
seus olhos sobre teu caminho.
Na orla da Yamunā, na brisa doce,
lá ele está, de flores no pescoço.

11 Os enfeites dos pés são tagarelas,
desveste esses rivais da sedução
— com um manto preto te vela
e vai ao bosque na escuridão.
Na orla da Yamunā, na brisa doce,
lá ele está, de flores no pescoço.

12 Como na nuvem em que paira um grou,
no peito dele, teu colar pendido
— como a luz do raio, no amarelo-ouro,
reinas virtuosa no ato invertido.
Na orla da Yamunā, na brisa doce,
lá ele está, de flores no pescoço.

13 Olhos de lótus, num chão de rebentos,
que tu estendas teus quadris despidos
— com a faixa frouxa e os trajes abertos,
um tesouro que atiça os sentidos.
Na orla da Yamunā, na brisa doce,
lá ele está, de flores no pescoço.

14 Hari inconformado; a noite por findar
— realiza os ditos de meu conselho
e rapidamente vai saciar
o Rival-de-Madhu em seu Desejo.
Na orla da Yamunā, na brisa doce,
lá ele está, de flores no pescoço.

15 Enquanto conta Jayadeva excelso,
a Hari devotado curvai o coração,
feliz, com afeto por Hari desperto,
gozo sublime, amando a boa ação.
Na orla da Yamunā, na brisa doce,
lá ele está, de flores no pescoço.

16 Num repente, lança suspiros de desejo, avança na mata,
[olha para a frente;

zunindo se exaure, arruma o leito, fica olhando confusamente.
Ó amada, teu amado sobrevive cansado à matança do deus
[Inebriante.

17 É como tua intransigência o Sol de raios quentes
que chegou agora ao completo poente,
e como o desejo de Govinda é a noite densa
que consumou sua eminência.
Ao canto lamentoso dos cucos
é semelhante meu longo clamor
— Mulher confusa, teu atraso é inútil!
É muito gostoso o encontro com o amor!

18 Depois do abraço, do beijo, depois da pele riscada,
depois do desejo aflorado, de mutuamente excitados,
depois do ato iniciado pelos dois amantes,
como será a emoção temperada com vexame
do casal que, na sombra, com intenção de variar,
por engano se reconhece unido pela voz familiar?

19 Cobrindo com os olhos palpitantes
e cautelosos toda trilha tenebrosa,
árvore por árvore parando,
os passos estendendo vagarosa;
bela mulher, que aquele afortunado,
quando chegares à parte secreta,
pelo agito do Incorpóreo tomado,
ao encontrar-te, realize sua meta!

"O desejoso Olhos-de-lótus"
é o nome do quinto capítulo do sublime
Canto para Govinda,
embelezado pela mulher de encontro marcado

Capítulo sexto

O INDOLENTE VAIKUṆṬHA

Nesta única canção do capítulo sexto, a amiga continua falando com Govinda, mas agora usando a intensidade da dor de Rādhā pela ausência do amado para se comunicar. Ela narra um conjunto de acontecimentos que ilustra a espera por ele, a atitude confusa de falar como se fosse ele e até mesmo vê-lo em meio aos vultos que a escuridão faz aparecer à noite. A canção segue esse caminho, até que uma estrofe acende a luz para que se manifeste a interpretação mística: ao afirmar que Rādhā está "unida a ti em meditação" (*dhyānalagnā*), a amiga retoma uma imagem antiga segundo a qual as pastoras se unem a Kṛṣṇa Govinda em pensamento ou em meditação, em virtude dos limites impostos pela separação, vivenciando assim a suprema realidade da dimensão divina do amante.

Nesse sentido, a ênfase na separação e nos esperados sentimentos de cada membro do casal traduz um ideal da visão devocional (*bhakti*) indiana na qual a intensidade da separação dos amantes é análoga à não percepção direta da entidade divina. Isto é, estar separado da pessoa amada é análogo a separar o devoto de sua divindade. O grau de paixão é aumentado nos momentos de separação, e essa intensidade permite a apreensão da realidade imaterial da divindade, no caso das práticas devocionais. Na experiência estética, por sua vez, a representação da separação tem uma graça em si mesma, dadas as imagens e figuras de linguagem usadas para exprimi-la, sendo também considerada como uma base para representar o conjunto estético do erotismo, com suas idas, vindas e apogeu.

1 A seguir, ao notá-la demorando arrebatada,
no rancho das lianas, incapaz da avançada,
para Govinda, lesado pelo Nascido-do-intento,
então a amiga contou seu comportamento:

CANÇÃO 12 — A SER CANTADA COM O RAGA NAṬA

2 Solitária, ela te encontra
por todos os lados,
sorvendo, nos lábios de outras,
licores açucarados.
Em seu recanto, Rādhā está sufocando,
Hari soberano.

3 Agitada pelo arroubo
de um encontro de ti,
vai, com passinhos, aos poucos,
trambecando até cair.
Em seu recanto, Rādhā está sufocando,
Hari soberano.

4 Vestindo um cinturão
de brotos de lótus tenros,
por tua arte da paixão,

assim se mantém sem termo.
Em seu recanto, Rādhā está sufocando,
Hari soberano.

5 Notando a cada minuto
o encanto dos ornamentos,
“Sou o Rival-de-Madhu!”,
paira assim seu pensamento.
Em seu recanto, Rādhā está sufocando,
Hari soberano.

6 “Por que Hari não tem pressa
para vir a meu encontro?”
é assim que ela conversa
com a amiga em todo ponto.
Em seu recanto, Rādhā está sufocando,
Hari soberano.

7 “Hari voltou!”, ela pensa,
assim ela beija e agarra,
feito nuvens carregadas,
as formas nas trevas densas.
Em seu recanto, Rādhā está sufocando,
Hari soberano.

8 Durante tua demora,
foi sumindo seu vexame,
ela lamenta e chora,
pronta para que a ames.
Em seu recanto, Rādhā está sufocando,
Hari soberano.

9 Do poeta Jayadeva,
excelso, que este dizer
possa, às gentes de fineza,
muita alegria conceder.

Em seu recanto, Rādhā está sufocando,
Hari soberano.

10 Atravessada por extensos arrepios,
aquela mulher de olhos de gazela
solta suspiros com “ais” de melancolia,
produzidos nas profundezas dela.
Traidor! Tendo focalizado a mente
no Causticante, intensamente,
ela está unida a ti em meditação,
imersa nos mares da emoção.

11 Enfeita bastante o corpo; com o mero cair de uma folha
imagina tua chegada; estende a cama e longamente olha.
Assim, dedicada a cem prazeres sobre o arranjo do leito,
feito de adornos imaginários, ela, que tem um lindo talhe,
não será capaz de passar esta noite sem te ter junto ao peito.

“O indolente Vaikuṇṭha”
é o nome do sexto capítulo do sublime
Canto para Govinda,
embelezado pela mulher pronta para o amado

Capítulo sétimo

O ARTIFICIOSO NĀRĀYAṆA

A frustração do desencontro, a impressão de que outra o encontra, a imagem de Govinda a enfeitando e de ambos juntos são os temas que percorrem as quatro canções deste capítulo, que é enunciado por Rādhā. A construção poética da atmosfera erótica se dá aqui, como muitas vezes no poema, por meio da descrição de encontros que ocorrem às escondidas. Pequenos atos de subversão, nas noites escuras, nos caminhos secretos e nas relações indevidas. Seja pelo tempo, à noite, no espaço, na floresta, e nos indivíduos, pessoas casadas e comprometidas, a situação é construída com a descrição de desvios que dão sabor à narrativa. Marca disso é a estrofe introdutória, em que se fala de uma rota onde as pessoas se encontram de forma oculta, mas que, ao ser iluminada pelo luar, lhes dificulta a discrição.

A canção 13, em que Rādhā, frustrada, descreve sua condição e demonstra uma decepção com Govinda e consigo própria, dá o tom das três seguintes, em que sua imaginação se deixa levar pelos sentimentos derivados da frustração e constrói o cenário amoroso que ela queria para si. No entanto, Govinda está se divertindo com outra pastora, conforme Rādhā canta nas três canções seguintes. É de se notar que a passagem da canção 14 para a 15 nos dá um belo exemplo de como a poesia erótica sânscrita constrói seus significados por meio do poder da sugestividade: a canção 14 descreve como a outra pastora está embelezada, montada, para o encontro com Govinda, enquanto a canção 15 descreve como Govinda a monta. O que ocorre no espaço entre uma canção e outra é por conta da imaginação poética do leitor, ou da audiência, no caso das encenações e recitações públicas.

1 No céu, em pleno resplendor,
como o estigma dado ao infrator
— um corte na rota desavergonhada —
a entranha da floresta iluminada,
o luar, com raios cintilantes,
feito pinta de sândalo, no firmamento,
marca seu belo semblante.

2 Enquanto o disco da lua avança
e Mādhava permanece no atraso adverso,
solitária, ela esgoela a desaventurança
em lamentos dos mais diversos:

CANÇÃO 13 — A SER CANTADA COM O RAGA MĀLAVA

3 Ai! Hari não vem à floresta!
mesmo com hora marcada!
A juventude não presta
em minha forma imaculada.
Iludida pelo dito da amiga,
a quem peço abrigo?

4 Mesmo a densa escuridão,
frequentei para encontrar

quem cravou este coração
com uma das flechas do Amor.
Iludida pelo dito da amiga,
a quem peço abrigo?

5 A morte é escolha melhor
do que meu corpo sem função;
por que suporto com torpor
a chama da separação?
Iludida pelo dito da amiga,
a quem peço abrigo?

6 Esta noite de primavera,
em seu dulçor, me degrada;
outra mulher, de ações belas,
para Hari só agrada.
Iludida pelo dito da amiga,
a quem peço abrigo?

7 Trato os adornos de gemas,
os braceletes e o resto,
como agruras, porque levam
a dor do abandono expresso.
Iludida pelo dito da amiga,
a quem peço abrigo?

8 Sobre meu corpo, flor suave,
a guirlanda fere meu colo,
na conduta feroz e grave
das flechadas do Incorpóreo.
Iludida pelo dito da amiga,
a quem peço abrigo?

9 Junto a canas que não computo,
na mata, permaneço eu,
e a mente do Algoz-de-Madhu,
de minha pessoa, esqueceu.

Iludida pelo dito da amiga,
a quem peço abrigo?

10 Que o poema de Jayadeva
— aos passos do Hari zeloso —
a vosso coração preencha,
feito uma moça artificiosa.
Iludida pelo dito da amiga,
a quem peço abrigo?

11 Ele está junto de alguma outra querida?
Ou tomado por torneios junto de amigos?
Ou está vagando além da floresta ainda?
Incapaz de seguir até mesmo o caminho
do belo bosque das lianas e hibiscos,
tão esmorecido, não me encontra meu querido.

12 Tendo visto a amiga, desapontada e em silêncio,
sem Mādhava de volta, imaginou o Tremor-das-gentes
por outra deleitado e descreveu o que estava vendo:

CANÇÃO 14 — A SER CANTADA COM O RAGA VASANTA

13 Posta em roupa disposta
para o encontro do Alvitreiro,
com flores um pouco soltas
em seu cabelo desfeito.
É outra a que goza
com o Rival-de-Madhu,
uma moça formosa.

14 Envolta pelos abraços
de Hari, traz vibrante,
nos seios, dois belos jarros,
uma corrente ondulante.
É outra a que goza

com o Rival-de-Madhu,
uma moça formosa.

15 A lua do rosto se enfeita
com o balanço dos cachos,
exaurida na veemência
do sorver de seus lábios.
É outra a que goza
com o Algoz-de-Madhu,
uma moça formosa.

16 Tem a face florescida
junto ao agito dos brincos,
um vaivém na ida
do quadril soando o cinto.
É outra a que goza
com o Algoz-de-Madhu,
uma moça formosa.

17 Com um pudor no sorriso
diante do olhar do amado
e a paixão nos gemidos
com sons muito variados.
É outra a que goza
com o Algoz-de-Madhu,
uma moça formosa.

18 Amplas ondas de arrepio
palpitando sobre ela,
o Incorpóreo surgiu
entre suspiro e piscadela.
É outra a que goza
com o Algoz-de-Madhu,
uma moça formosa.

19 Sobre o talhe prazenteiro,
gotas de transpiração,

envolvida no seu peito,
brava na arma da Paixão.
É outra a que goza
com o Algoz-de-Madhu,
uma moça formosa.

20 As graças de Hari ditas
pelo Excelso Jayadeva
façam totalmente extintas
as trevas da Era da Perda.
É outra a que goza
com o Algoz-de-Madhu,
uma moça formosa.

21 O luar, que é um aliado do Inebriante,
estende a dor amorosa em meu coração,
ofusca minha mente com o lótus do semblante
do Rival-de-Mura, pálido pela separação.

CANÇÃO 15 — A SER CANTADA COM O RAGA GURJARĪ

22 No rosto, em que o Inebriante aponta,
da amada de lábio ávido a beijar,
lascivo, de almíscar pinta um ponto,
tal como o cervo inscrito no luar.
Na orla da Yamunā, em sua glória,
o Rival-de-Mura goza agora.

23 Enfeita os cabelos, nuvem brilhante
que aos rostos moços traz comoção,
com flor de amaranto — luz do relâmpago
no bosque do Esposo-da-Paixão.
Na orla da Yamunā, em sua glória,
o Rival-de-Mura goza agora.

24 Clara constelação é o colar
que põe no firmamento dos peitos,

carnudos, goteados com almíscar
com a lua arranhada como enfeite.
Na orla da Yamunā, em sua glória,
o Rival-de-Mura goza agora.

25 Mais frescos do que talos de lótus,
aos braços, oferece pulseiras
de esmeralda, que, sobre as mãos de rebrotos,
são como enxames de abelhas.
Na orla da Yamunā, em sua glória,
o Rival-de-Mura goza agora.

26 Na anca farta cuja forma encobre,
perfumada, a gruta da Paixão,
assento de ouro do Incorpóreo,
estende um portal com o cinturão.
Na orla da Yamunā, em sua glória,
o Rival-de-Mura goza agora.

27 Envolve com laca os dois rebentos
postos no templo da Deusa-lótus:
os pés dela unidos a seu peito,
dotado de unhas que são joias.
Na orla da Yamunā, em sua glória,
o Rival-de-Mura goza agora.

28 Fala, amiga, por que fiquei no mato
fútil, longa e tediosamente,
se o irmão do safado que porta o arado,[17]
deleita outra mulher atraente?
Na orla da Yamunā, em sua glória,
o Rival-de-Mura goza agora.

29 Não perdure a dor da Era-da-perda,
quando Hari e seus atributos
são ditos, na emoção de Jayadeva,
fiel aos pés do Rival-de-Madhu.

Na orla da Yamunā, em sua glória,
o Rival-de-Mura goza agora.

30 Se aquele enganador impiedoso não veio,
ó companheira, por que sofres como mensageira?
Ele, sendo amado de muitas parceiras,
goza de livre vontade: isso é teu defeito?
Olha isso: rebentando, meu espírito,
devido ao tormento pesado da saudade,
irá por si mesmo ao encontro querido,
atraído pelo amado e suas qualidades.

CANÇÃO 16 — A SER CANTADA COM O RAGA DEŚĀKHYA

31 Junto dos olhos feito lírios,
na dança da brisa em suspiros,
ela não fica padecendo
com o leito de rebentos,
— aquela que está gozando
com o dono da guirlanda.

32 Junto à face palpita
tal como um lótus em flor,
ela já não mais se anima
sob as flechas do Amor,
— aquela que está gozando
com o que usa a guirlanda.

33 Junto da voz de mais dulçor
do que o divino licor,
ela não fica calcinando
com as aragens de sândalo,
— aquela que está gozando
com o que usa a guirlanda.

34 Junto dos pés e das mãos,
rútilos lótus do campo,
não tirita neste instante
com o luar refrescante
— aquela que está gozando
com o que usa a guirlanda.

35 Junto de quem tem o viço
de um nuvarrão maciço,
ela não dói no coração
com a ampla separação
— aquela que está gozando
com o que usa a guirlanda.

36 Junto do esplendor do manto
que é ouro sobre basalto,
ela não fica desgraciando
com o riso no séu lado,
— aquela que está gozando
com o que usa a guirlanda.

37 Junto do moço querido
amado por toda gente,
ela não tem mais sofrido
com o coração indolente,
— aquela que está gozando
com o que usa a guirlanda.

38 Junto do dito manifesto
por Jayadeva excelso,
que Hari tenha relação
também com vosso coração.
Aquela que está gozando
com o que usa a guirlanda.

39 Ó aragem do Amor, vento do Sul,
brisa de sândalo, torna-te afável,

abranda o sestro, alento do mundo.
Tu serás minha pena capital,
ao trazer Mādhava a minha frente
por um instante somente.

40 Igual ao inimigo é o encontro das amigas,
igual ao fogo é a brisa,
igual ao veneno são os raios da Lua,
que a alma extenuam.
Meu coração se afeiçoa a contragosto
àquele impiedoso.
O Amor, sinistro, diverge do desígnio
das moças de olhos de lírios.

41 Ó sopro do Malaya, leva meu tormento!
Ó Cinco-xaras, toma meu alento!
Não habitarei minha casa novamente!
Ó Irmã-do-Decesso,[18] por que serias paciente?
Molha meu corpo com as vagas
e meu sofrimento apagas!

"O artificioso Nārāyaṇa"
é o nome do sétimo capítulo do sublime
Canto para Govinda,
embelezado pela mulher que espera em vão

Capítulo oitavo

O PASMO ESPOSO-DE-LAKṢMĪ

A canção 17, única deste capítulo, traz o diálogo direto entre Rādhā e Govinda, em que ela fala e ele escuta. A fala de Rādhā expressa os sentimentos de descontentamento, indignação e ciúme e constrói uma descrição de como ela viu o estado de Govinda após a noite de amor com outra pastora. A canção tem um valor expressivo e descritivo, na medida em que expressa em primeira pessoa o sentimento de quem constata a traição da pessoa amada e descreve ao leitor, ou à audiência, a forma como Govinda foi visto.

É a partir de imagens herdadas da literatura poética e religiosa que a fala Rādhā se dá como um poema de imenso poder de sugestividade, seja na dimensão estética, seja na dimensão mítica. Exemplo disso é a estrofe 8, em que se faz referência à Moléstia, palavra em português que pretende referir a figura que antropomorfiza uma doença infantil. A obra conhecida como *Viṣṇu Purāṇa* a traz como uma figura sobrenatural que personifica uma doença que acometia crianças e que fora enviada por um rival que planejava a morte de Govinda, quando este ainda era um bebê. A narrativa relata que ela ofereceu o seio para o pequeno Govinda, como fazia com as crianças que atacava. Dado o poder divino da criança, em vez de envenená-lo, ela saiu morta, após ser sugada até a morte. Assim, essa narrativa revela o poder de proteção e salvação de Govinda, que é celebrado nessa e em inúmeras outras narrativas. No entanto, aqui, no universo da poesia, inverte-se o valor dado a essa história, e ela se torna um prenúncio da índole de Govinda, expressa pela fala de Rādhā.

1 Tendo experimentado uma noite sofrida,
pela manhã, ainda alanceada pelo Alvitreiro,
muito indignada, ela falou com o bem-querido,
que foi respeitoso e usou palavras fagueiras.

CANÇÃO 17 — A SER CANTADA COM O RAGA BHAIRAVĪ

2 Teu olhar escarlate devotado
ao sabor do mais soberbo prazer;
marcas de langor, ele traz pintado
pelo largo amor do anoitecer.
Ó tu, com olhos de lótus d'água,
vai, Mādhava! vai, Algoz-de-Keśin!
Segue aquela que sossega tua mágoa
e não contes mentiras para mim.

3 O negrume impresso pelos beijos,
— perfil dos cílios maquilados dela —,
ó, Kṛṣṇa, a aurora nos teus beiços
em conjunto com tua carne revela.
Ó tu, com olhos de lótus d'água,
vai, Mādhava! vai, Algoz-de-Keśin!
Segue aquela que sossega tua mágoa
e não contes mentiras para mim.

4 Tua carne ferida é semelhante
à inscrição da Paixão realizada;
na luta com o deus de garra cortante,
de ouro e esmeralda foi incrustada.
Ó tu, com olhos de lótus d'água,
vai, Mādhava! vai, Algoz-de-Keśin!
Segue aquela que sossega tua mágoa
e não contes mentiras para mim.

5 Por pés de lótus com laca pingando,
asperso, teu coração majestoso
demonstra a enramada brotando
na árvore do deus espirituoso.
Ó tu, com olhos de lótus d'água,
vai, Mādhava! vai, Algoz-de-Keśin!
Segue aquela que sossega tua mágoa
e não contes mentiras para mim.

6 A dentada no lábio do senhor
em meu espírito causa aflição;
de que forma teu talhe encantador
comigo ainda afirma relação?
Ó tu, com olhos de lótus d'água,
vai, Mādhava! vai, Algoz-de-Keśin!
Segue aquela que sossega tua mágoa
e não contes mentiras para mim.

7 Ó Kṛṣṇa, certamente a tua essência
é mais impura que tua aparência;
como iludes tal mulher observante
no ardor do Cinco-xaras padecente?
Ó tu, com olhos de lótus d'água,
vai, Mādhava! vai, Algoz-de-Keśin!
Segue aquela que sossega tua mágoa
e não contes mentiras para mim.

8 Por que o espanto? O Senhor vaga
no bosque a abocanhar as magrelas;
Moléstia já celebra esta saga:
um diabrete que mata a donzela.
Ó tu, com olhos de lótus d'água,
vai, Mādhava! vai, Algoz-de-Keśin!
Segue aquela que sossega tua mágoa
e não contes mentiras para mim.

9 Um doce licor, raro até no templo,
sábios, ouvi o pranto da donzela,
de paixão tomada, em desalento,
dito por Jayadeva, o poeta.
Ó tu, com olhos de lótus d'água,
vai, Mādhava! vai, Algoz-de-Keśin!
Segue aquela que sossega tua mágoa
e não contes mentiras para mim.

10 Com a confiança rompida,
agora que vejo teu peito exibindo lascívia,
molhado com a laca dos pés da amante
como a aurora mais brilhante,
mais vergonha do que penar
é o que traz para mim o teu olhar.

"O pasmado Esposo-de-Lakṣmī"
é o nome do oitavo capítulo do sublime
Canto para Govinda,
embelezado pela mulher traída pelo amado

Capítulo nono

O LÂNGUIDO MUKUNDA

Quem fala na única canção deste capítulo é a amiga. Ela não tem nome, mas tem uma função bem estabelecida: conhecer os dois lados do desentendimento e, com astúcia, unir as duas pessoas. Para tanto, sua fala faz uso de um arsenal de figuras da poesia sânscrita, a começar pela menção à primavera, um dos marcadores estéticos do sentimento erótico na poesia sânscrita. A presença da brisa da primavera é uma das formas de aclimatar uma narrativa ou poema com essa temática.

1 Em querela com o bem-querido,
nos gestos de Hari absorvida,
caída de lassidão, afligida pelo Amor,
moída pela Paixão, a ela a amiga falou:

CANÇÃO 18 — A SER CANTADA COM O RAGA GURJARĪ

2 Hari se aproxima junto
da brisa da primavera,
querida, há neste mundo,
coisa que seja mais bela?
Não desprezes Mādhava,
ó mulher brava!

3 Ainda mais saboroso
que o fruto dos coqueiros,
por que tornas ocioso
o grande jarro dos seios?
Não desprezes Mādhava,
ó mulher brava!

4 Quantas vezes, aos pares,
foi este refrão ouvido?
"De Hari não te separes:

de todos, é o mais querido".
Não desprezes Mādhava,
ó mulher brava!

5 Por que motivo padeces
e choras fragilizada?
Todo o grupo de mulheres
está dando gargalhadas.
Não desprezes Mādhava,
ó mulher brava!

6 No leito pétalas e brotos
molhadas da flor do lótus,
encara Hari e regala de pronto
em conjunto com teus olhos.
Não desprezes Mādhava,
ó mulher brava!

7 Por que trazes na cabeça,
essa grande lassidão?
Escuta minha sentença
contrária à separação.
Não desprezes Mādhava,
ó mulher brava!

8 Hari há de te encontrar
e falar com comoção;
há razão para deixar
solitário o coração?
Não desprezes Mādhava,
ó mulher brava!

9 Que o dito do ato de Hari
pelo Excelso Jayadeva
sensualmente agrade
as pessoas de fineza.

Não desprezes Mādhava,
ó mulher brava!

Ficas rude, se ele está polido,
arrogante, se está reverente,
avessa, se está atraído,
ausente, se está presente,
esquiva, se está gentil.
Ó intransigente, estás identificando
veneno com pasta de sândalo,
lua com sol, fogo com gelo,
e prazer amoroso com flagelo!

"O lânguido Mukunda"
é nome do nono capítulo do sublime
Canto para Govinda,
embelezado pela mulher brigada com o amado

Capítulo décimo

O ARROJADO QUATRO-BRAÇOS

Este capítulo, com uma única canção, segue o diálogo de reconciliação, desta vez sob a voz de Govinda, a qual tenta, com os expedientes da poesia, reconectar-se com a amada. Sua fala é acompanhada de figuras que ambientam o sentimento estético do erotismo, como pássaros, flores e o sempre presente deus do Amor.

É de se notar que Govinda tenta convencer Rādhā a voltar para ele enaltecendo a relação dos dois, e não esclarecendo a situação que levou a amada a essa mistura de ira, indignação e ciúme. Pede no refrão que ela deixe esse sentimento de lado, pois ele não tem base (*anidāna*), isto é, não há razão para que ela o trate com desprezo. Sob esse sentimento, o poema faz ressoar um tema recorrente nas doutrinas de orientação devocional: a experiência do vínculo amoroso com o ser divino é sempre única, mesmo que para infinitos devotos, e incomparável a qualquer outra instância da vida.

1 Depois disso, até Govinda se desloca.
De tanto suspirar, amansada a ira,
Rādhā tinha exaurida a boca.
No fim do dia, gaguejando de alegria,
assim disse para a mulher linda, que, tímida,
dirigia-se ao rosto da amiga:

CANÇÃO 19 — A SER CANTADA COM O RAGA DEŚAVARĀḌĪ

2 Se dizes algo, teus dentes, como o brilho do luar,
cessam a terrível escuridão;
a lua em teu rosto impele a perdiz em meu olhar
rumo ao licor desses lábios em botão.
Formosa amada, acalma a ira infundada,
— A queimar minha alma, está a chama do Inebriante —,
no lótus desta boca, consagra o licor refrescante.

3 Se estás mesmo irada comigo, moça de boca linda,
com unhas de flechas, lança-me à morte;
prende com os braços de amarras, dá umas mordidas,
ou então qualquer coisa que conforte.
Formosa amada, acalma a ira infundada,
— A queimar minha alma, está a chama do Inebriante —,
no lótus desta boca, consagra o licor refrescante.

4 Tu és meu embelezamento, tu és minha existência,
tu és uma joia no mar da vida;
sempre haverás de mostrar para mim tua complacência
— é isto o que meu coração aspira.
Formosa amada, acalma a ira infundada,
— A queimar minha alma, está a chama do Inebriante —,
no lótus desta boca, consagra o licor refrescante.

5 Teus olhos, que dos lótus negros mantêm o esplendor,
dos vermelhos também trazem a graça;
se a mim tu castigas com o lance da flecha do Amor,
esta cor preta assim será corada.
Formosa amada, acalma a ira infundada,
— A queimar minha alma, está a chama do Inebriante —,
no lótus desta boca, consagra o licor refrescante.

6 Que a corrente de joias derrame no jarro dos peitos
e a teu coração reverencie,
que a cinta vibre nas curvas de teus quadris opulentos
e a lei do Vindo-do-intento anuncie.
Formosa amada, acalma a ira infundada,
— A queimar minha alma, está a chama do Inebriante —,
no lótus desta boca, consagra o licor refrescante.

7 Fala, voz doce, e teus pés de lótus em meu coração,
— mais belos que hibiscos — regozijantes;
hei de tingir, no fausto posto no palco da Paixão,
com o brilho da laca chamejante.
Formosa amada, acalma a ira infundada,
— A queimar minha alma, está a chama do Inebriante —,
no lótus desta boca, consagra o licor refrescante.

8 Põe na minha fronte teus pés de rebento — um enfeite galante
que cessa o veneno do Alvitreiro;
levem eles a praga assassina do deus Inebriante,
Sol cruel que me abrasa por inteiro.

Formosa amada, acalma a ira infundada,
— A queimar minha alma, está a chama do Inebriante —,
no lótus desta boca, consagra o licor refrescante.

9 Eis que avança agudo o dito engenhoso de Jayadeva,
poeta que a Padmāvatī alegra,
inspirado no Rival-de-Mura, que à Rādhikā enleva,
com fala viva, doce, bela e terna.
Formosa amada, acalma a ira infundada,
— A queimar minha alma, está a chama do Inebriante —,
no lótus desta boca, consagra o licor refrescante.

10 Mulher apreensiva, não hesita!
Meu espírito ninguém mais habita,
a não ser o Inebriante, o Amor.
Tu apenas vives em meu interior,
com teus quadris e seios densos.
Favorece o fausto desse furor,
com o volume do teu abraço intenso.

11 Ó graciosa, esmaga com os seios pesados,
amarra com as lianas de teus braços,
morde com os dentes malvados;
ó impetuosa, não te inclines com agrado:
meus ânimos se esvaem pelas chagas
das flechadas cruéis do Cinco-xaras.

12 Ó menina, o silêncio faz sofrer inutilmente:
estende tua voz macia sobre a quinta melodia![19]
Ó moça, com teus olhos afasta meu tormento!
Ó vistosa, abandona o sentimento de apatia,
Ó graciosa, não dispenses a mim, teu amado,
sou gentil, por meu alvedrio estou ao teu lado!

13 Na mirada, o esplendor da maurá fulgurando,
no lábio, o fulgor da vive-em-bando,

Ó irada, do lótus negro, o olhar emite o brilho,
da flor sésamo, o nariz mostra o vestígio.
Ó amada de dentes de jasmim, adorando teu rosto,
aquele que tem flores por setas domina o mundo todo.

14 Teus olhos indolentes são a sedução,
o semblante excitante é a lua cheia,
para os homens, teu passo é a fascinação,
o par de coxas supera a bananeira,
a paixão em ti é a engenhosidade,
as sobrancelhas, a luminosidade:
as beldades divinas[20] tu carregas,
ó moça, quando passas na Terra.

"O arrojado Quatro-braços"
é o nomedo décimo capítulo do sublime
Canto para Govinda,
embelezado pela mulher enraivecida

Capítulo décimo primeiro

DĀMODARA EXTÁTICO

A canção 20 é narrada por uma mulher desconhecida, representada pelo pronome indefinido (*kāpi*), que emprega imagens que buscam fazer Rādhā ansiar pelo que está por vir. A mulher desconhecida exalta a busca de um pelo outro, a beleza dos corpos e ornamentos e as delícias do encontro. Na canção seguinte, é a amiga quem se dirige a Rādhā e exalta o que está na iminência de acontecer uma vez consumado o encontro.

Com isso, as canções-poemas, sem descreverem diretamente o encontro de ambos, no tom da sedução e do incentivo, trazem belas descrições poéticas da relação entre o casal.

Ao final da canção 21, quando já se pretende uma atmosfera sem testemunhas, entra a voz do narrador e as amigas se retiram, para a realização da intimidade do casal.

1 Enquanto o Algoz-de-Keśin caminhava para sua morada,
paramentado, depois de ter feito longos agrados,
diante daquela de olhos de gazela,
no cair do invisível das trevas,
uma mulher falou para Rādhā,
desaborrecida e lindamente enfeitada:

CANÇÃO 20 — A SER CANTADA COM O RAGA GURJARĪ

2 Aquele que, em teus pés reverente,
dedicou versos de palavras brandas,
foi rumo ao leito de deleite
e está agora no bosque das canas.
Ó, Rādhā pequena e confusa,
Govinda é fiel, segue à procura!

3 Ó seios fartos e ancas opulentas,
envolve teus pés com joias tinindo,
e anda num caminhar de passos lentos,
com a desenvoltura de um flamingo!
Ó, Rādhā pequena e confusa,
Govinda é fiel, segue à procura!

4 Ouve o zumbir mais do que prazenteiro
das abelhas que inebriam as meninas,
em meio aos cucos, servis ao império
do Flecha-de-flor e então te anima!
Ó, Rādhā pequena e confusa,
Govinda é fiel, segue à procura!

5 São mãos ao vento a pedir movimento,
as lianas com rebentos palpitantes,
abandona esse retardamento,
ó coxas que lembram elefantes!
Ó, Rādhā pequena e confusa,
Govinda é fiel, segue à procura!

6 Teus seios, ânforas, cujo colar
é a corrente de água que vibra,
como ondas do Amor a emanar,
a eles, pede o abraço de Govinda!
Ó, Rādhā pequena e confusa,
Govinda é fiel, segue à procura!

7 Pelas amigas é visto o pendor
de teu corpo para a luta da Paixão,
brava, ataca o amante sem pudor
com toques de tambor do cinturão!
Ó, Rādhā pequena e confusa,
Govinda é fiel, segue à procura!

8 Com tua mão, de unhas formosas,
setas do Alvitreiro, pega esta amiga,
ao som das pulseiras, anda airosa,
e a Hari mostra a graça de tua vinda!
Ó, Rādhā pequena e confusa,
Govinda é fiel, segue à procura!

9 Vencendo embates, mostrando beleza,
que possa habitar eternamente

esse dito do Excelso Jayadeva,
na voz dos que têm Hari na mente.
Ó, Rādhā pequena e confusa,
Govinda é fiel, segue à procura!

10 "A mim ela verá, com amor conversará,
por meus abraços, terá seu corpo todo afagado
ao voltar: ela vai gostar."
Confuso da cabeça, a ti ele imagina,
treme, fica ouriçado, entusiasmado,
arrepiado, avança e logo desatina,
na treva intensa da mata, está teu amado.

11 O encanto do manto escuro da noite
acoberta o corpo como um capote,
irradiando o *cajal* nos olhos,
os brincos de ramos da casca-preta nos lóbulos,
o lótus negro da faixa nos cabelos,
o almíscar desenhado nos seios
das mulheres astutas de peito acelerado,
em busca no bosque do encontro amado.

12 Torna-se uma pedra de toque[21] que testa o amor
das que vão em busca do encontro com o amado,
de corpos semelhantes ao dourado do açaflor,
pelos riscos dos enfeites delas tracejada,
mais escura que a folhagem da casca-preta,
a noite, com rastros reluzentes em cada estrela.

13 Depois de ver Hari, na entrada de sua morada,
exposta pelo brilho das joias das pulseiras,
pelos braceletes, pela tiara, pela cinta dourada
e pela gema principal do colar de perlas,
a companheira disse para a acanhada Rādhā:

CANÇÃO 21 — A SER CANTADA COM O RAGA VARĀḌĪ

14 No chão do bosque luzente
— um templo da sedução —
goza com o rosto ridente,
no ímpeto da Paixão,
ó Rādhā, abre-te perante Mādhava!

15 Na cama de folhas viçosas
do *aśoka* verdejante,
com seios feito jarros, goza
sob a trêmula corrente,
ó Rādhā, abre-te perante Mādhava!

16 No refúgio de puro perfume,
vindo de flores variadas,
goza com o corpo floriforme
de enorme suavidade,
ó Rādhā, abre-te perante Mādhava!

17 No doce frescor do vento,
que vem dos Malaya ao bosque,
goza com o sentimento
cantado em tua linda voz,
ó Rādhā, abre-te perante Mādhava!

18 No zumbido de um enxame,
com o dulçor exultante,
goza com emoção que inflame
o sentimento do Inebriante,
ó Rādhā, abre-te perante Mādhava!

19 No rumor dos cucos palreiros,
em movimento, suavemente,
goza com o arrepio prazenteiro
do fulgor de teus dentes,
ó Rādhā, abre-te perante Mādhava!

20 No monte de brotos virentes,
em meio às trepadeiras,
goza com tuas indolentes
e carnudas cadeiras,
ó Rādhā, abre-te perante Mādhava!

21 Enquanto o príncipe dos poetas Jayadeva,
unido a Padmāvatī pelo prazer, celebra,
que Hari propicie centenas de ofertas.
Ó Rādhā, abre-te perante Mādhava!

22 Há muito tempo na mente a ti acalentando,
intensamente aflito e exaurido pelo Causticante,
o néctar de teus lábios de bimba ele quer beber
— vai depressa com teu corpo enfeitar o dele!
Se tens um servo fiel sob teus pés de lótus,
ganho pela gota do sinal no arco de tua celha,
então, qual a razão de todo esse alvoroço?

23 Ela despontou no recanto,
alegre e resfolegante,
com as belas tornozeleiras tilintando,
pousando em Govinda olhos oscilantes:

CANÇÃO 22 — A SER CANTADA COM O RAGA VARĀḌĪ

24 Com excessiva emoção aflorada
pela mirada do rosto de Rādhā,
tal como o agito das ondas do mar
pela visão da roda do luar.
Ela olhou para ele com demora,
Hari — um templo do Incorpóreo,
querente de prazer, um só sentimento,
e o rosto absorto no desejo imenso.

25 Tocando as pérolas imaculadas
da corrente que carrega em seu peito,
é como a Yamunā, variegada
pela espuma que irrompe no leito.
Ela olhou para ele com demora,
Hari — um templo do Incorpóreo,
querente de prazer, um só sentimento,
e o rosto absorto no desejo imenso.

26 O tecido amarelo de seus trajes
sobre a negra maciez de seu talhe
é como o lótus preto emoldurado
por uma manta de pólen dourado.
Ela olhou para ele com demora,
Hari — um templo do Incorpóreo,
querente de prazer, um só sentimento,
e o rosto absorto no desejo imenso.

27 A paixão rósea surgida no rosto
sob o jogo sensual da vista oblíqua
é como o lótus de outono em um poço
em que brinca um casal de lavandiscas.
Ela olhou para ele com demora,
Hari — um templo do Incorpóreo,
querente de prazer, um só sentimento,
e o rosto absorto no desejo imenso.

28 Sóis roçando o lótus do semblante:
o esplendor dos brincos radiantes;
rebentos luzindo em doce risada:
lábios ardendo na paixão ansiada.
Ela olhou para ele com demora,
Hari — um templo do Incorpóreo,
querente de prazer, um só sentimento,
e o rosto absorto no desejo imenso.

29 Tal nuvens por raios da lua acesas
é o cabelo por flores adornado,
a lua flamejando sobre as trevas
é o sândalo na testa estampado.
Ela olhou para ele com demora,
Hari — um templo do Incorpóreo,
querente de prazer, um só sentimento,
e o rosto absorto no desejo imenso.

30 Pelas artes da paixão excitado,
com intensos arrepios eriçado,
seu corpo ornado esplendidamente,
formoso, em meio às joias reluzentes.
Ela olhou para ele com demora,
Hari — um templo do Incorpóreo,
querente de prazer, um só sentimento,
e o rosto absorto no desejo imenso.

31 A glória dos ornamentos dobra
nesta obra do ilustre Jayadeva,
dobrai a Hari — cerne da boa obra,
no espírito tomado por certeza.
Ela olhou para ele com demora,
Hari — um templo do Incorpóreo,
querente de prazer, um só sentimento,
e o rosto absorto no desejo imenso.

32 Os olhos foram além do soslaio,
no canto branco perlado palpitante,
voltados para a contemplação do amado,
jorraram lágrimas exaltadas nesse instante,
feito um caudal de suor vertido,
devido ao esforço de atingir os ouvidos.

33 No canto do leito sentada,
quando todas as cuviteiras

saíram em debandada,
em meio a risadas sorrateiras
devido à trama armada,
com olhos de gazela,
ao ver no rosto o resplendor
com desejo ardente por ela,
vindo das flechas do amor,
foi-se o recato, mas com cautela..

"Dāmodara Extático"
é o nome do décimo primeiro capítulo do sublime
Canto para Govinda,
embelezado pelo encontro de Rādhikā

Capítulo décimo segundo

O BEM AMADO VESTE-AMARELA

No sentimento do bem-sucedido esforço para que o encontro acontecesse, o penúltimo capítulo terminou com a saída das amigas: "Quando todas as cuviteiras/ saíram em debandada,/ em meio a risadas sorrateiras/ devido à trama armada". Neste último, o poema enfatiza: "Ao saírem as amigas em debandada,/ Hari falou, ao olhar para Rādhā,/ cujo coração estava desejoso,/ o olhar fixo no leito viçoso, e, com um sorriso, o lábio banhado".

É dessa forma que surgem as falas de Govinda e Rādhā nas canções 23 e 24, retratando o encontro amoroso sob as ilimitadas formas pelas quais a linguagem poética, com o que diz e o que não diz, pode representar. O não dito situa-se belamente no espaço entre uma canção e outra, com brevíssima intervenção da voz do narrador.

E assim termina o *Canto para Govinda*.

1 Ao saírem as amigas em debandada,
Hari falou, ao olhar para Rādhā,
cujo coração estava desejoso,
o olhar fixo no leito viçoso,
e, com um sorriso, o lábio banhado,
pelo Alvitreiro instigado,
esse desmedido, nada acanhado.

CANÇÃO 23 — A SER CANTADA COM O RAGA VIBHĀSA

2 Marca com os lótus de teus pés
o leito de rebentos, amada,
tenha o rival adornado o revés
com os renovos de tuas pisadas.
Por um instante fica
com o fiel Nārāyaṇa, Rādhikā.

3 Foi longa tua caminhada: com lótus
que são minhas mãos, teus pés eu toco;
deita no leito as tornozeleiras:
como eu, são tuas fiéis companheiras.
Por um instante fica
com o fiel Nārāyaṇa, Rādhikā.

4 Verte do mar de néctar de tua face
o licor imortal de tuas frases;
afastarei este nosso bloqueio:
o pano entre meu peito e teus seios.
Por um instante fica
com o fiel Nārāyaṇa, Rādhikā.

5 Eriçados e prontos para o prazer
do abraço amoroso, duro de obter,
teus seios, vaza esse jarro em meu peito
e cessa o ardor do Nascido-do-Intento.
Por um instante fica
com o fiel Nārāyaṇa, Rādhikā.

6 Concede o sumo dos lábios de néctar,
bela mulher, revive um servo morto,
cuja mente tem a ti como meta
e na dor da solidão sofre o corpo.
Por um instante fica
com o fiel Nārāyaṇa, Rādhikā.

7 Ó face de lua, com as joias da tira
em tua cinta, garganteia tua voz,
e em minha escuta, há muito abatida
pelos pios do cuco, alivia a dor algoz.
Por um instante fica
com o fiel Nārāyaṇa, Rādhikā.

8 Agora tua fúria é estéril,
abandona esses olhos de humilhação,
que, encarando esguelhos, me ferem
e acaba com o peso da Paixão.
Por um instante fica
com o fiel Nārāyaṇa, Rādhikā.

9 Que este dito do excelso Jayadeva,
justo a todo desfrute do pastor,

para quem tem gosto pela beleza,
possa elevar a Paixão e o Amor.
Por um instante fica
com o fiel Nārāyaṇa, Rādhikā.

10 Na intenção de um embate
mesclado com um jogo de paixão,
sobre ele, tomada pela excitação,
ela avançou para vencer o amante,
com o movimento da massa das cadeiras,
os braços soltos como trepadeiras,
seios em balanço e olhos semicerrados.
Como o afeto heroico na mulher é realizado?

11 Ao eleito, ainda pela Paixão fatigado,
com desejo de ser enfeitada, Rādhā,
resoluta, disse com independência do amado:

CANÇÃO 24 — A SER CANTADA COM O RAGA RĀMAKARĪ

12 Ó encanto dos Yādavas, com tua mão refrescante
mais que a pasta de sândalo, risca
o jarro de meus seios consagrado ao Vindo-da-mente,
com desenhos de óleo do almíscar.
Ela dizia, enquanto o encanto dos Yādavas,
com o peito em contentamento, gracejava.

13 Ó querido, ilumina com o pigmento preto,
superior às abelhas em negror,
meus olhos, que o deram a teu lábio nos beijos,
com o lance das setas do Amor.
Ela dizia, enquanto o encanto dos Yādavas,
com o peito em contentamento, gracejava.

14 Ó bem adornado, coloca em meus lóbulos
brincos com a graça do laço

do Nascido-do-Intento, cerceando meus olhos,
como gazelas em curso agitado.
Ela dizia, enquanto o encanto dos Yādavas,
com o peito em contentamento, gracejava.

15 Arranja meu cabelo, fonte de prazer esvoaçante,
feito o brilho de um enxame,
que demora volteando ao redor de meu semblante,
mais puro que o lótus brilhante.
Ela dizia, enquanto o encanto dos Yādavas,
com o peito em contentamento, gracejava.

16 Ó rosto de lótus, pinta auspiciosamente um símbolo,
usando a essência de almíscar,
na lua que é minha fronte, já com o suor exaurido,
tal como a parte do solo em eclipse.
Ela dizia, enquanto o encanto dos Yādavas,
com o peito em contentamento, gracejava.

17 Ó manancial de orgulho, adorna meu cabelo,
com as flores tiradas pela Paixão,
um sinal no estandarte do Vindo-do-intento,
digno como o penacho do pavão.
Ela dizia, enquanto o encanto dos Yādavas,
com o peito em contentamento, gracejava.

18 Ó abrigo da fortuna, com faixas e ricas pedras,
adorna esta minha bela cintura,
a qual, com sua opulência suculenta acoberta,
o poder do Amor em sua gruta.
Ela dizia, enquanto o encanto dos Yādavas,
com o peito em contentamento, gracejava.

19 Tornai pio vosso coração com estes lindos cantos,
ornados pelo Excelso Jayadeva,
que finda a dor da alma em tempos nefandos,
recordando de Hari as veredas.

Ela dizia, enquanto o encanto dos Yādavas,
com o peito em contentamento, gracejava.

20 "Enfeita meus seios com desenhos,
pinta em meu rosto uma marca,
arranja com uma tiara meus cabelos,
estende uma cinta em minhas ancas,
meus braços, adorna com pulseiras,
em meus pés, põe tornozeleiras."
Assim foi dito ao amante em veste amarela,
que procedeu exatamente assim com ela.

21 Nas artes celestes, a sabedoria,
em Viṣṇu, o olhar contemplativo,
na criação poética, a alegria,
e o poder de discernir no erotismo.
Com essas qualidades reunidas,
que o *Canto para Govinda*,
composto pelo culto poeta Jayadeva,
cuja alma tem Kṛṣṇa como única razão,
traga entendimento e clareza
às pessoas dotadas de intuição.

22 Composta pelo sucessor do Excelso Bhojadeva,
— Jayadeva, o Excelso filho de Rāmadevī —,
que a voz poética deste *Canto para Govinda* esteja
na boca da bela linhagem de Parāśara e de quem dela derive.

"O bem-amado Veste-amarela"
é o nome do décimo segundo capítulo do sublime
Canto para Govinda

Assim se conclui o Excelente *Canto para Govinda*

A história (*kathā*) da dança *rāsa* no *Viṣṇu Purāṇa*

A fim de oferecer referências que proporcionem um panorama mais amplo da experiência criativa de Jayadeva, apresentamos a tradução do mesmo episódio mítico conforme consta em uma das antologias do repertório indiano antigo, o *Viṣṇu Purāṇa*. A dança de Kṛṣṇa junto às pastoras, conhecida como *rāsa*, conforme se apresenta na literatura purânica, representa uma fonte muito provável de influência para Jayadeva.

A leitura devocional, isto é, no contexto religioso onde está situado o gênero *purāṇa*, concebe o ato de enunciar histórias tradicionais de Kṛṣṇa como o fundamento de três tipos de devoção; a saber, os atos de ouvir (*śravaṇa*), de cantar (*kīrtaṇa*) e de lembrar (*smaraṇa*) os feitos divinos.

Em outra fonte purâṇica desse episódio, o *Bhāgavata Purāṇa*, explicita-se que o modo de conduta do personagem divino no episódio mítico (*kathā*) não consiste num modelo a ser repetido pelo devoto, cujo âmbito de procedimentos está restrito a outra gama de atuação. O narrador, ao fim do episódio da dança com as pastoras, afirma que seria uma tolice muito grande um homem comportar-se como Kṛṣṇa sem ter o poder desse deus. Uma tolice tão grande quanto um devoto de Rudra que tomasse veneno imitando o gesto daquele deus. Nesse sentido, pode-se dizer que tal afirmação faz pressupor que o narrador admite que o deus (*bhagavat*) realize ações discutíveis do ponto de vista moral que deve ser adotada pelo ser humano (*dharma*). Vale lembrar que, nos *Purāṇa*, as pastoras largam seus maridos em casa para dançar sensualmente com Kṛṣṇa e que tal feito trouxe à literatura um retrato de Rādhā como uma pastora casada que tem uma relação extraconjugal com Kṛṣṇa. Essa forma de relacionamento, como se constata invariavelmente na literatura legal, é considerada inaceitável e degradante. Entretanto, as formulações teológicas investirão sobre o eixo amor conjugal (*svakīyā*)/amor extraconjugal (*parakīyā*), condicionado/incondicionado. O desejo de uma pastora casada que deixa seu lar para encontrar o amado é compreendido, portanto, como o anseio pelo ser divino. Trata-se de um desejo que transcende os interesses mundanos, as relações convencionais de perda e ganho e o desejo de manutenção das coisas pertencentes à esfera da realidade aparente.

Nas narrativas dos *Purāṇas*, não há a presença de uma pastora de nome Rādhā. Miller, que faz uma recensão das ocorrências de Rādhā na literatura, ao apresentar algumas passagens a respeito dessa personagem do *Canto para Govinda*, explica sua relação com a literatura anterior da seguinte forma:

> A caracterização de Rādhā e sua associação singular com Kṛṣṇa no *Gītagovinda* feita por Jayadeva a partir da literatura antiga não é de uma fonte única, mas de detalhes que emergem de versos vagos que a ela se referem.[22]

E após apresentar a recensão, Miller conclui que Rādhā é uma personagem cuja criação se deu no *Canto para Govinda*:

> Sua relativa obscuridade na literatura antiga fortalece a perspectiva de que Jayadeva inventou "Rādhā".

> Ainda que não a tenha inventado totalmente, ele criou uma heroína única para a literatura devocional indiana.[23]

De modo inverso, são inúmeras as referências a Kṛṣṇa na literatura sânscrita anteriores ao *Canto para Govinda* e, em consequência disso, é precário fazer qualquer tipo de afirmação baseada na ideia de inventividade. No entanto, a individualização da pastora na obra poética de Jayadeva de certa forma individualiza Kṛṣṇa-Govinda e o traz para o campo das experiências dialógicas do afeto na dimensão humana, materializada pelas convenções da arte poética sânscrita, relativa aos valores inerentes que sua sociedade e sua época dão ao que chamamos genérica e universalmente de amor.

VIṢṆU PURĀṆA, LIVRO 5, CAPÍTULO 13

Em seus 38 capítulos, o livro 5 do *Viṣṇu Purāṇa* consiste integralmente numa antologia de episódios que biografam Kṛṣṇa. O narrador Parāśara é incitado a iniciar seu trabalho a partir da seguinte fala de Maitreya, seu interlocutor:

> Descreveste com detalhes as linhagens e também a sucessão das dinastias. Ó sábio brâmane, eu gostaria de ouvir com detalhes os atos que realizou a encarnação parcial (*aṃśāvatāra*) de Viṣṇu, o *bhagavat*, o homem supremo, que encarnou nascido na família dos Yadu, como parte de sua parte, ó asceta.

Após a narrativa de alguns feitos de Kṛṣṇa, é inserido o seguinte episódio, contando a dança de outono, no capítulo 13:

Ao terem visto a montanha Govardhana sustentada por ele, depois que Śakra partiu, os pastores falaram alegremente a Kṛṣṇa, agente infatigável:

— Ó Grandes-braços, pelo senhor, com o feito de levantar do monte, fomos protegidos daquele grande perigo, e foi também nosso gado protegido pelo senhor. Essa brincadeira de criança é desmedida, tua condição como pastor é intolerável, o ato do senhor é divino. Conta o que és, menino. Kāliya foi subjugado na água; Pralamba, derrotado; o Govardhana foi erguido: nossas mentes estão relutantes. Verdadeiramente suplicamos aos pés de Hari, ó tu que tens passos incomensuráveis. Desde que presenciamos tua potência, não o consideramos mais como um homem. Presenciamos também teu afeto por Vraja, pelas mulheres, pelas crianças, ó Keśava. Conseguiste realizar uma façanha, que semelhante nem mesmo pelos trinta deuses. Quando se concebe tua infantilidade e tua força, com origem semelhante à nossa, ó Kṛṣṇa, *ātman* infinito, isso traz perplexidade. Deus, demônio,[24] *yakṣa* ou *gandharva*. O que isso importa se és nosso amigo? Louvor a ti!

Grande sábio, tendo os pastores dito isto, Kṛṣṇa ficou quieto por um instante, um pouco magoado, mas disse então:

— Ó Pastores, se não causa vexame minha amizade, se sou louvável, qual o motivo para vossa inquietação? Se tendes afeto por mim, se vos sou louvável, que vossa mente me compreenda como parente. Não sou deus, nem demônio, nem *gandharva* ou *yakṣa*: sou nascido vosso parente e não há por que pensar de outra forma!

Ó bem-aventurado, assim ouvindo a fala de Hari, enquanto ele estava zangado, os pastores foram silenciosos de lá para a floresta. Kṛṣṇa, vendo o céu imaculado, o resplendor da lua de outono, os lótus abertos que perfumam o ar e as encantadoras guirlandas com abelhas zunindo que enfeitam a floresta, decidiu desfrutar junto das pastoras. Junto de Rāma, Śauri cantou versos muito melodiosos, amáveis para as mulheres, em harmonia com o tantrin[25] tocado de muitos modos. Ao ouvirem o som encantador das canções, as pastoras deixaram suas moradas e foram depressa para onde o Algoz-de-Madhu estava. Uma pastora cantou suavemente em harmonia com a música; outra, atenta, acompanhou mentalmente. Veio uma timidamente dizendo "Kṛṣṇa! Kṛṣṇa!"; veio outra, cega de amor, tocar nele sem timidez. Outra, vendo o venerável do lado de fora, ficou dentro de casa, e meditou sobre Govinda com olhos cerrados, em absorção completa nele. Reduzindo o efeito dos atos auspiciosos com a alegria suprema da mente projetada nele e com cômputo dos feitos de transgressão totalmente dissolvido pela dor de não encontrá-lo, outra pastora, retendo o alento, atingiu a libertação pensando no criador do mundo, que é a forma do *brahman* supremo (*parabrahma*). Cercado pelas pastoras, Govinda, com desejo de iniciar a dança *rāsa*, foi reverenciar a noite, encantadora com o luar de outono. E foram grupos de pastoras, com os corpos absortos nos gestos de Kṛṣṇa, para outro local na floresta de Vṛndā onde ele tinha ido. Com o coração pleno de Kṛṣṇa, assim disseram uma a outra: "Sou Kṛṣṇa, vejam meus passos, eu ando graciosamente"; outra diz "escutem minha canção, é de Kṛṣṇa". "Pare Kāliya!", disse uma outra, "Eu sou Kṛṣṇa!", movendo o braço para lutar, como no gesto de Kṛṣṇa. Outra diz: "Ó Pastores! fiquem tranquilos, não há perigo com as chuvas, eu levanto o Govardhana". "Que o gado ande à vontade, eu matei Dhenuka", diz outra imitando os trejeitos de Kṛṣṇa. Assim ficaram as pastoras, prazerosamente distraídas nos gestos variados de Kṛṣṇa, brincando na floresta de Vṛndā.

Olhando para o chão, uma delas, uma bela pastora, com o corpo curvado, arrepiada, com os olhos de lótus luminosos, disse: Vejam esses passos de Kṛṣṇa, que passeia graciosamente adornado e deixa uma linha marcada com o gancho, a concha, o raio e o estandarte. Alguma mulher de feitos auspiciosos, cujas marcas dos pés pequenos estão próximas dos dele, veio enternecida pela atração por ele. Aqui decerto Dāmodara colheu flores na parte alta, já que só há uma pequena porção na frente das pegadas do magnânimo. Ela sentou aqui e foi enfeitada com flores por ele — Viṣṇu, reverenciado por ela na forma universal em algum outro nascimento. Vejam: ele a deixou, muito altiva por ter sido agraciada com o arranjo de flores, e se foi por esse caminho. Uma outra, incapaz de acompanhá-lo, indolente com o peso das ancas, foi rapidamente nas pontas dos pés para o seu encontro. A amiga vai junto dele com os dedos seguros em sua mão e as pegadas mostram as marcas dos pés distanciados. Desconsiderada pelo pouco contato da mão dele — de gesto enganador —, os pés dela estão marcados em meia-volta, que retorna, desiludida e vagarosa. Decerto Kṛṣṇa disse a ela "vou depressa" e "depois procuro você", pois que as marcas dos passos estão apressadas. Kṛṣṇa entrou na floresta densa, aqui os passos não aparecem mais. Voltem, já que este lugar não tem a claridade do luar.

Sem esperança de ver Kṛṣṇa, as pastoras retornaram, foram à orla do rio Yamunā e lá cantaram seus feitos. Então as pastoras viram a ele que vinha, com a boca que é como um lótus radiante, o protetor dos três mundos, o agente infatigável. Uma viu Govinda que vinha e, muito ouriçada, disse "Kṛṣṇa, Kṛṣṇa, Kṛṣṇa", sem poder dizer algo mais. Outra, marcando a fronte com a sobrancelha arqueada, olhou para Hari e, com as abelhas de seus olhos, bebeu no lótus da boca dele. E mais outra, olhando Govinda com os olhos semicerrados, contemplando o corpo dele, mostrou-se absorvida em meditação. Então Mādhava agradou a umas com falas amorosas, a outras com um olhar cativante, e a outras mais com o toque das mãos.

Hari, de feitos sublimes, foi desfrutar da dança *rāsa* junto das pastoras, cujas mentes estavam agraciadas, mas a formação da roda do *rāsa* não pôde ser feita porque cada pastora quis ficar num único lugar, não pretendendo sair do lado de Kṛṣṇa. Hari foi tomando a mão de uma por uma e formou o círculo do *rāsa*, com as pastoras de olhos cerrados pelo toque das mãos. Então a dança iniciou com o toque dos braceletes em movimento, seguida da música com o canto dos versos dedicados ao outono. Kṛṣṇa cantou em homenagem à lua de outono, ao luar, à flor de lótus, mas as pastoras, apenas uma única coisa muitas vezes: o nome de Kṛṣṇa. Uma delas, envolvida na dança, pôs o braço, feito uma liana, tinindo com as pulseiras palpitando, no ombro do Algoz-de-Madhu. Outra pastora, artificiosamente versada nos cantos de louvor, de braços exuberantes, abraçou e beijou o Matador-de-Madhu. Os braços de Hari, movendo-se para tocar o rosto das pastoras e para serem louvados, suspensos, com arrepios, ficaram tomados pela transpiração. Enquanto Kṛṣṇa cantava muito alto uma música para a dança, elas cantavam duas vezes mais alto: "Kṛṣṇa, Kṛṣṇa é o Supremo!". Indo e voltando na roda, ficavam face a face: para um lado e para o outro, as belas pastoras amaram Hari. Enquanto o Algoz-de-Madhu gozava junto às pastoras, cada instante sem ele foi considerado como milhões de anos. As amadas pastoras, ainda que impedidas pelos maridos, pais e irmãos, deleitaram Kṛṣṇa durante a noite.

O Matador-de-Madhu, o removedor de males, de essência incomensurável, concebido como um jovem rapaz gozou junto a elas por noites. Ele é o Soberano cuja forma é a essência das essências, que reside em tudo, permeando todos os seres, os maridos delas e elas. Assim como o *ākāśa*,[26] o fogo, a terra, a água e o ar estão presentes em todas as coisas, ele é a essência que a tudo permeia.

Glossário

Algoz-de-Kaṃsa: *Kaṃsāri*, nome de Kṛṣṇa que remete aos fatos acontecidos em torno de seu nascimento e juventude, marcados por uma profecia de que ele iria matar o rei Kaṃsa, seguida de sua perseguição pelo rei e a consumação da profecia.

Algoz-de-Keśin: *Keśava*, nome de Kṛṣṇa. O nome sânscrito *keśava*, derivado do vocábulo *keśa*, "cabelo", quando atribuído a Kṛṣṇa, é comumente interpretado como aquele que tem longos cabelos e aquele que derrotou o demônio de nome Keśin.

Algoz-de-Madhu: *Madhusūdana*, nome de Viṣṇu que faz referência a uma narrativa cosmológica que conta o nascimento de dois demônios de nomes Madhu e Kaiṭabha a partir dos ouvidos de Viṣṇu no período em que o universo estava inundado pela grande expansão das águas. Eles investiram contra Brahman (situado no umbigo de Viṣṇu para dar início à criação), que rogou à Māyā (ilusão existencial personificada) que acordasse Viṣṇu. Viṣṇu, após uma longa luta, cortou as cabeças dos demônios com seu disco (cf. *Śiva Purāṇa*, *Umā*, 45).[27]

Algoz-de-Śambara: *Śaṃbaradāraṇa*, a personificação masculina do desejo amoroso (cf. verbete Amor).

Alvitreiro: *Smara*, a personificação masculina do desejo amoroso (cf. verbete Amor).

Amor: *Kāma*, *kusumaśara*, *madana*, *manasija*, *manoja*, *manmatha*, *ratinayaka* e *smara*, a personificação masculina do desejo amoroso. Kāmadeva é o deus que preside o desejo e o gozo amoroso. Ele possui um arco feito de cana-de-açúcar, cuja linha são abelhas, e utiliza flores como flechas, o lótus azul, o jasmim, a flor da mangueira, o *campaka* e o *śirīṣa*.[28] A primavera personificada (Vasanta), como um ser masculino, auxilia Kāma na missão de despertar o desejo amoroso nas pessoas e nos deuses. Conta o *Śiva Purāṇa* (*Rudra*, 2.8.38) que Vasanta surgiu quando Brahman pensava em criar alguém que pudesse fascinar Śiva, profundamente imerso em meditação. Os auxiliares de Vasanta, cuja missão é ajudar Kāma, são a brisa perfumada, as flores e os cucos (*Rudra*, 2.8.42-3). Kāma foi incumbido de interromper a meditação de Śiva, segundo contam várias versões do mito, porque os deuses precisavam de sua ajuda para combater um demônio quase imbatível. Porém, quando Śiva percebeu a presença de Kāma, reduziu o corpo do deus do amor a cinzas por meio do poder de seu olhar. Daí que ele seja chamado de Incorpóreo (*anaṅga* e outros). Na sequência dessa narrativa, Rati, companheira de Kāma, pede a Śiva que restitua o corpo ao esposo. Śiva, então, destina Kāma a nascer com o nome de Pradyumna, "Glorioso", como filho de Kṛṣṇa e Rukmiṇī. Nesse novo corpo, Kāma derrota o demônio Śambara, que o perseguia.

Anão: *Vāmana*, o quinto *avatāra* de Viṣṇu no grupo de dez. O demônio de nome Bali havia se tornado o regente dos três mundos e, em consequência, os deuses, acuados e destituídos de seu mundo, dirigiram seus pedidos a Viṣṇu, que os atendeu com a manifestação do *avatāra* que a tradição literária representa, desde longa data, como um homem anão, daí a palavra sânscrita "*vāmana*", "anão", ser utilizada como um nome próprio para referir-se a essa manifestação divina. Anão, que era brâmane, fazia suas abluções quando foi avistado pelo demônio soberano, que fez suas homenagens a ele, devido à posição de brâmane. Dando mostras de boas-vindas, Bali ofereceu ao visitante a oportunidade de pedir algo que quisesse. Aparentemente inofensivo, o pedido do brâmane foi que o soberano concedesse um espaço suficiente para que lhe fosse possível dar três passos. Atendido, Anão revelou-se como o deus Viṣṇu manifesto em sua forma cósmica e deu os três passos para determinar o local de sua posse. Um na terra, outro no céu e o terceiro sobre a cabeça do demônio, que, chutado aos mundos inferiores, perdeu seu poder dali em diante.[29]

Aśoka: Nome de uma árvore de flores vermelhas.

Bali: Nome de um demônio morto por Viṣṇu em sua encarnação (*avatāra*) de Anão.

Bhojadeva: Nome atribuído ao pai de Jayadeva.

Buddha: O nono *avatāra* de Viṣṇu na lista que enumera dez. Identificado com a figura histórica de Gautama Buddha (563-483 a.C.), a menção a esse *avatāra* traz um tom hostil em meio ao discurso religioso hinduísta. O *Bhāgavata Purāṇa* (2.7.37) menciona a vinda de Viṣṇu ao mundo como um *avatāra* que desvia, com uma falsa doutrina (*aupadharmya*), os maus adeptos dos *Veda*, que o buscam para fins mundanos. Entretanto, não se nota a presença desse julgamento na louvação do *Canto para Govinda*, que enaltece o atributo de compaixão e o caráter antirritualista do Buddha, compatível com o que se conhece da figura histórica a que o *avatāra* está associado.

Cajal: Delineador para os olhos. A palavra "kajal" tem sido frequentemente utilizada em língua portuguesa, constituindo já um empréstimo, especialmente no vocabulário relativo a maquiagem. Aqui, preferimos a grafia *cajal*.

Capa-dourada: *Hiraṇyakaśipu*, nome de um demônio

morto por Viṣṇu em sua encarnação (*avatāra*) de Homem-leão.

Causticante: *Kandarpa*, a personificação masculina do desejo amoroso (cf. verbete Amor).

Ceifador-de-Keśin: *Keśimathana*, nome de Kṛṣṇa.

Cinco-flechas: *Pañcabaṇa*, a personificação masculina do desejo amoroso (cf. verbete Amor).

Cinco-xaras: *Asamabāṇa*, *asamaśara* e *pañcabāṇa*, a personificação masculina do desejo amoroso (cf. verbete Amor).

Dāmodara: "Cingido-na-cintura", nome de Kṛṣṇa-Govinda, que remete ao episódio em que sua mãe o amarrou com um pedaço de corda (cf. apresentação do capítulo 1).

Dhenuka: Nome próprio de um ser mítico de caráter malévolo.

Demônio serpente: *Kāliya*, nome de um *nāga* (ser sobrenatural serpentiforme dotado de cabeça humana) derrotado por Kṛṣṇa. Conta o *Bhāgavata Purāṇa* que, ao saber que Kāliya envenenava a água do rio Yamunā, Kṛṣṇa, ainda muito criança, com vistas a detê-lo, pulou no rio, em direção à toca onde habitava a serpente sobrenatural. Houve um embate em que Kṛṣṇa ficou por algum tempo como se estivesse morto, entristecendo a todos os pastores que presenciaram o evento. No entanto, o menino utilizou de seus poderes sobre-humanos e, numa luta sangrenta e desigual, derrotou Kāliya. Na sequência, as serpentes mulheres, em tom de louvor e desesperadas pela perda do esposo, pediram ao menino que lhes devolvesse o companheiro morto, sendo atendidas por Kṛṣṇa, que, após recuperar as cabeças esmagadas do inimigo derrotado, foi reverenciado pelo *nāga*, que finalmente reconheceu sua superioridade divina.

Deusa-do-verbo: *Vāgdevatā*, nome da deusa da linguagem. O nome sânscrito Sarasvatī constitui uma designação mais frequente para essa deusa, a quem se atribui também a inspiração poética e musical, assim como a sabedoria, de um modo geral.

Deusa-lótus: *Kamalā*, cf. verbete Śrī.

Desejo: *Kāma* e *manmatha*, a personificação masculina do desejo amoroso (cf. verbete Amor).

Dez-cabeças: *Daśakaṇṭha*, nome de Rāvaṇa (cf. verbete Rāma).

Dhoyin: Nome de um poeta (cf. verbete Umāpatidhara).

Espirituoso: *Madana*, a personificação masculina do desejo amoroso (cf. verbete Amor).

Era da Perda: *Kali Yuga*. Na teoria do tempo mais comumente presente na literatura sânscrita, é considerada a pior das quatro eras cósmicas. Há um sentido de degradação na linha temporal, e a pior das eras traduz uma compreensão fatalista de perda e fracasso, tanto material como moral.

Esposo-da-Paixão: *Ratipati*, a personificação masculina do desejo amoroso (cf. verbete Amor).

Esposo-de-Lakṣmī: *Lakṣmīpati*, nome de Viṣṇu que o designa por meio de sua consorte Lakṣmī, associada à prosperidade, fortuna, e que, ao lado de Viṣṇu, manifesta-se sob várias formas: Śrī, Sītā, Dharaṇī etc. (cf. verbete *Śrī*).

Esposo-de-Rohiṇī: *Rohiṇīramaṇa*, designação da lua personificada, um ente masculino na mitologia sânscrita.

Flecha-de-flor: *Kusumaśara*, a personificação masculina do desejo amoroso (cf. verbete Amor).

Filha-de-Kalinda: Nome do rio Yamunā, que nasce na montanha Kalinda.

Filha de Janaka: *Janakasutā*, nome de Sītā, esposa de Rāma, que, no *Canto para Govinda*, é tido como o sétimo *avatāra* de Viṣṇu.

Garuḍa: Ave utilizada como veículo de Viṣṇu.

Govardhana: Nome de um poeta (cf. verbete Umāpatidhara) e de uma montanha erguida por Govinda para proteger pastores e pastoras de uma tempestade produzida pelo deus Indra (cf. verbete Irmão de Indra).

Govinda: Nome de Kṛṣṇa de etimologia obscura, relacionada possivelmente ao campo semântico de "gado" e "pasto" (do sânscrito *go*, "vaca"). O nome Govinda pode ser explicado como uma forma provinda de *gāṃ vindat*,[30] traduzível como "Protetor do rebanho". Há também a versão que interpreta o nome como uma forma prácrita, paralela à sânscrita, *gopendra* (*gopa-indra*), "Senhor do rebanho".

Hara: Nome de Śiva quando se trata do episódio em que ele incinera o deus do amor (cf. verbete Amor).

Hari: Nome de Viṣṇu com maior número de ocorrências no *Canto para Govinda*. É também o nome de Viṣṇu mais frequente nos *Purāṇas*, conforme atesta Van Buitenen[31] em obra que percorre amplamente essa literatura:

> O mais comum de todos os nomes para Viṣṇu é Hari, cuja origem é obscura. Designa a cor amarela e pode se referir à vestimenta amarela do deus. Pode também conotar a remoção do mal, e é por vezes unido a Hara, de mesmo sentido, e representa um nome popular para Śiva. [...] o próprio nome Viṣṇu é o menos utilizado.[32]

Os dez *avatāras* de Viṣṇu louvados no *Canto para Govinda* são Peixe, Tartaruga, Javali, Homem-leão, Anão, Senhor-Bhṛgu, Rāma, Homem-do-arado, Buddha e Kalkin. Essa enumeração é compatível com a que o *Matsya Purāṇa* (285.67) apresenta, exceto pelo fato de que a oitava encarnação, o Homem-do-arado (Balarāma), alterna-se com Kṛṣṇa. O *Varāha Purāṇa* também lista dez *avatāras*. Há, porém, outras listagens, como a do *Bhāgavata Purāṇa*, que traz 22 *avatāras*: (1) Kumāra ou Sanatkumāra, o jovem eterno; (2) Varāha, o javali; (3) o sábio Nārada; (4) Nara e Nārāyaṇa, os homens primevos; (5) o sábio Kapila;

(6) Dattātreya, o mágico; (7) Yajña, o sacrifício; (8) Ṛṣabha, o rei justo; (9) Pṛthu, o primeiro legislador; (10) Matsya, o peixe; (11) Kūrma, a tartaruga; (12) Dhanvantari, o médico; (13) Mohinī, a ilusionista; (14) Nṛsiṃha, o Homem-leão; (15) Vāmana, o Anão; (16) Paraśurāma, o destruidor dos *kṣatriya*; (17) Vedavyāsa, o compilador dos *Veda*; (18) Rāma, a encarnação da correção; (19) Balarāma, a encarnação das virtudes reais; (20) Kṛṣṇa, a encarnação do amor; (21) Buddha, "a encarnação da ilusão" (cf. verbete Buddha); (22) Kalkin, o que encerra (*Bhāgavata Purāṇa* (1.3.6-25) apud Danielou, 1964: 165).

Homem-do-Arado: *Haladhara*, o oitavo *avatāra* de Viṣṇu na lista que enumera dez. Conhecido como Balarāma, "Rāma, o forte", esse *avatāra* é o irmão de Kṛṣṇa e tem seu mito ambientado no cenário pastoril da floresta de Vṛndā. Balarāma é tido como uma encarnação da serpente Śeṣa, cuja natureza é uma manifestação de Viṣṇu. Conta o *Viṣṇu Purāṇa* (5.25) que Vāruṇī, deusa que personifica a bebida espirituosa, para divertir Rāma, os pastores e as pastoras, pôs-se em forma de licor num buraco de uma árvore. Atraído por seu perfume, Balarāma a encontrou e bebeu junto de seus companheiros. Entre o canto e a dança que faziam, Balarāma, empunhando seu arado, gritou ao rio Yamunā que viesse até ele, pois sentia vontade de banhar-se. O rio Yamunā (uma figura feminina) não atendeu o brado do homem bêbado. Então, com um golpe do arado, Balarāma mudou o trajeto do rio e disse que ele poderia fluir por onde quisesse. O rio veio até ele, corporificado, e pediu que perdoasse sua desatenção. O *avatāra* reagiu a princípio, fazendo mil sulcos com o arado para que o rio exibisse sua força em todas aquelas direções, mas depois, apaziguado, deixou o rio Yamunā seguir seu curso.

Homem-leão: *Narahari*, o quarto *avatāra* de Viṣṇu da lista que enumera dez. Também conhecido como Nṛsiṁha, assim é seu mito, segundo sintetiza Danielou:[33] o rei dos demônios, de nome Hiraṇyakaśipu, tinha um filho, chamado Prahlāda, que era grande devoto de Viṣṇu. Devido a tamanha dedicação, o pai, que sempre punia o filho cruelmente, um dia decidiu matá-lo. Hiraṇyakaśipu, cujo domínio maléfico estendia-se pelos três mundos, era considerado invulnerável devido a ter recebido uma graça de Brahman. Essa graça consistia em tornar o demônio indestrutível durante o dia ou a noite, por homem, animal ou deus, dentro ou fora de seu palácio. Para salvar Prahlāda, Viṣṇu surgiu no crepúsculo (nem dia nem noite), na forma de Homem-leão (nem homem nem animal), escondido num pilar próximo ao demônio (nem dentro nem fora do palácio) e derrotou o demônio Hiraṇyakaśipu.

Incorpóreo: *Atanu* e *anaṅga*, a personificação masculina do desejo amoroso (cf. verbete Amor).

Inebriante: *Madana* e *manmatha*, a personificação masculina do desejo amoroso (cf. verbete Amor).

Inimigo-de-Madhu: *Madhusūdana*, nome de Viṣṇu (cf. verbete Algoz-de-Madhu).

Irmã-do-Decesso: *Kṛtāntabhaginī*, o rio Yamunā, em referência a Yama, o deus que preside a morte.

Irmão de Indra: Nome de Viṣṇu e, por extensão, de seu avatar Kṛṣṇa. Desde o período védico, c. XII a.C., os dois deuses, Indra e Viṣṇu, vêm sendo ser representados juntos. Sua relação é, por vezes, descrita como harmoniosa, por vezes, como hostil. Sendo Indra o deus que tem o raio como arma e, assim, traz um poder sobre as forças das chuvas e tempestades, nas narrativas que envolvem ambos deuses, essa característica é frequentemente aludida.

Īśa: Nome de Śiva.

Javali: *Śūkara*, o terceiro *avatāra* de Viṣṇu na lista de dez. Também conhecido como Varāha, assim é o núcleo de uma das variantes segundo o *Viṣṇu Purāṇa* (1.4). Ao fim do ciclo cósmico nomeado como Padma (lótus) e no início do ciclo relativo ao tempo presente da enunciação do *Viṣṇu Purāṇa*, nomeado como Vāraha (javali), a Terra, imersa nas águas por obra de um demônio, pede a Viṣṇu que ele a resgate, proferindo uma longa súplica em que designa a si mesma como Mādhavī (1.4.20, forma feminina do nome Mādhava, atribuído a Viṣṇu). Essa passagem é entendida como uma relação entre criador e criatura, ou de amante e amada. Viṣṇu, depois da homenagem de louvor, emitiu um canto suave seguido de um urro estrondoso que fez tremer os mundos e, sob a forma de javali, ergueu a Terra das profundezas com seu chifre. Após situá-la acima da superfície do oceano, marcou suas regiões com as montanhas.

Kalkin: O décimo *avatāra* de Viṣṇu na lista que enumera dez. Kalkin é enunciado nos *Purāṇas* como o *avatāra* que ainda está por vir. A encarnação de Viṣṇu sob essa forma marca o fim da era de Kali e prepara o mundo para o início do novo ciclo, isto é, a transição da pior era em direção à melhor das eras.

Kindubilva: Local presumido do nascimento de Jayadeva.

Kṛṣṇa: Nome atribuído ao *avatāra* de Viṣṇu em sua vinda ao mundo que marca o fim do *dvāparayuga* (terceira era cósmica). Esse nome designa a cor negra ou azul-escura, cores com que Viṣṇu e Kṛṣṇa são representados. O preto é associado ao elemento mais sutil dos cinco elementos, substância que tudo permeia, identificado ao espaço, tal como Viṣṇu, considerado um deus que preenche todo o espaço.[34] O *avatāra* Kṛṣṇa não é mencionado na canção que louva os dez *avatāra* de Viṣṇu no *Canto para Govinda*, em cujo lugar aparece Balarāma, seu irmão, quando tomada como referência a enumeração do *Matsya Purāṇa* (cf. verbete Hari). É uma possível explicação para esse fato a ideia, presente na literatura que trata dos *avatāra*, de que Kṛṣṇa é uma manifestação da totalidade de Viṣṇu, enquanto outros *avatāra* são manifestações parciais.

Mādhava: Patrônimo de Kṛṣṇa derivado do nome Madhu, um célebre ancestral de Kṛṣṇa. No *Bhāgavata Purāṇa* (9.23), em meio a uma descrição das grandes linhagens, diz-se que Madhu teve cem filhos, dos quais o mais velho, chamado Vṛṣṇi, origina a ramificação de que Kṛṣṇa descende. Daí chamar-se a família de Kṛṣṇa como *vṛṣṇi*(*s*) ou como *Mādhava*(*s*).

Madhu: Nome de um demônio morto por Viṣṇu (cf. verbete Algoz-de-Madhu).

Makara: Animal mítico, muitas vezes descrito como semelhante a um crocodilo.

Malaya: Cadeia de montanhas em que abundam as árvores do sândalo.

Matador-de-Keśin: *Keśava*, nome de Kṛṣṇa (cf. verbete Algoz-de-Keśin).

Moléstia: *Pūtanikā*, nome de uma mulher demônio que personifica uma doença infantil enviada por Kaṃsa para matar Kṛṣṇa quando este ainda era um bebê. Ela ofereceu o seio para o menino com o intuito de envenená-lo, mas ele, revelando sua natureza divina, sugou seu alento e a matou (cf. *Viṣṇu Purāṇa* 5.5).

Mukunda: Nome de Viṣṇu. No *Sanskrit English Dictionary* é indicada uma etimologia artificial que explica este nome atribuído a Viṣṇu como relacionado à raiz verbal *muc*, base dos vocábulos *mukta* e *mokṣa*, referentes aos conceitos de "liberto" e "libertação do mundo e das cadeias de transmigração", respectivamente. Visto dessa forma, o nome *mukunda* significaria "(Aquele) que propicia a libertação".

Mura: Nome de um demônio morto por Kṛṣṇa (cf. verbete Rival-de-Mura).

Nascido-do-intento: *Manasija*, a personificação masculina do desejo amoroso (cf. verbete Amor).

Naraka: Nome de um demônio morto por Kṛṣṇa (cf. verbete Rival-de-Mura).

Nārāyaṇa: Nome de um ser primevo, presente na cosmologia védica, atribuído posteriormente a Viṣṇu. Formado a partir de uma derivação de *nara*, substantivo que significa "homem", "pessoa" e "Homem primordial", na perspectiva mítica, uma possibilidade de interpretação para o nome Nārāyaṇa é "Morada dos homens", se considerado o significado do substantivo *ayana* como "estância, morada".

Olhos-de-lótus: *Puṇḍarīkākṣa*, nome de Kṛṣṇa.

Padmā: "[Aquela que tem o/que é como o] lótus" (cf. verbete Śrī.)

Padmāvatī: Nome atribuído à esposa de Jayadeva pela tradição visnuíta. Por um lado, Padmāvatī é tomada como dançarina pertencente à corte de Lakṣmaṇasena, em Bengala, e, por outro, como dançarina no templo de Jagannātha, em Orissa (cf. Siegel, 1990: 220). Internamente ao poema *Canto para Govinda* refere-se à esposa do poeta Jayadeva e, ao mesmo tempo, estabelece um elo de identidade com Padmā, a consorte de Viṣṇu.

Paixão: *Rati*, a personificação feminina do prazer amoroso e consorte de Kāma. No *Śiva Purāṇa* (*Rudra*, 2.3.51), diz-se que seu nascimento ocorreu a partir das gotas de suor que caíram do corpo de Dakṣa, um dos filhos de Brahman, quando este contemplava Sandhyā, representada como uma mulher de talhe fascinante, nascida da mente de Brahman, desejada calorosamente por este e por todos os seres celestes que presenciaram seus modos e sua aparência. Após o nascimento de Rati, Brahman a entrega como esposa para Kāma (*Rudra*, 2.4.4). E então, Kāma, ao vê-la, foi fincado por uma de suas próprias flechas; vendo os olhos dela, desacreditou de suas flechas; e sentindo o perfume dela, desacreditou da brisa do Malaya (*Rudra*, 2.4.8-12). Ao fim da descrição dos sentimentos de Kāma, diz-se que o brilho do rosto de Rati, enquanto o abraçava, era como o de Lakṣmī ao lado de Viṣṇu (*Rudra*, 2.4.34).

Parāśara: Nome do narrador do *Viṣṇu Purāṇa*. Segundo conta essa antologia, ele recebeu algumas graças de Pulastya, um filho de Brahman, depois de ter acalmado sua ira diante do conhecimento da morte do pai. Foi-lhe concedido o mérito de ser o autor de uma antologia dos *Purāṇas* (*purāṇasaṃhitakartṛ*). Alguns hinos do *Ṛg Veda* (1.65-75 e 9.97) têm sua composição atribuída a um autor de mesmo nome. No *Mahābhārata*, é o nome do pai de Vyāsa, a quem a tradição atribui a autoria desse épico.

Paulastya: Patrônimo de Rāvaṇa (cf. verbete Rāma).

Peixe: *Mīna*, o primeiro *avatāra* de Viṣṇu na lista que enumera dez. Também conhecido como Matsya, assim é seu mito, segundo o *Mastya Purāṇa*. Depois de ter passado seu reino ao filho, um rei de nome Manu, através da prática austera da disciplina do yoga, atingiu, com suas elevadas qualidades, o estado supremo de seu ser. Brahman concedeu-lhe, por essa razão, o direito de pedir uma graça de sua escolha. Foi a resposta de Manu que ele desejaria ser o protetor de todas as criaturas, móveis e imóveis, durante o período de dissolução cósmica. Então, certo dia em que realizava um rito com as águas, veio em suas mãos um pequeno peixe. Vendo a criatura miúda, procurou protegê-la num pote. No passar de um dia, o peixe cresceu além do pote e gritou para Manu que o salvasse. Imediatamente atendido, o protetor dispôs de um abrigo maior para o peixe, ainda pequeno. No entanto, o peixe crescia cada vez que era levado a um novo abrigo. Tendo sido levado para uma poça, um lago, o rio Ganges e finalmente o mar, foi indagado por Manu a respeito de sua real natureza, que, naquele instante, o reconheceu como sendo o deus Viṣṇu. Desvelado, Viṣṇu deu as instruções a Manu de como deveria proteger a criação. Ao final da era cósmica, haveria um grande dilúvio que traria destruição aos três mundos. Os deuses tinham construído um barco que o grande peixe levaria sobre os mares da dissolução. Caberia a Manu, portanto, tripular o barco com toda espécie de criaturas a fim de salvá-las. Depois dessa instrução, no tempo profetizado, veio ao lado de Manu uma serpente em forma de corda para que ele amarrasse o barco num corno que o peixe possuía. Assim o fez e então foi possível a manutenção da vida no período entre eras, durante o qual o peixe prodigioso revelou a Manu os saberes sagrados relativos ao *dharma*, aos rituais, à cosmologia etc. (*Mastya Purāṇa,* 1.11-35 e 2.1--37). Na versão presente no *Bhāgavata Purāṇa* (8-24), conta-se que o demônio de nome Hayagrīva, que havia roubado os *Vedas*, foi vencido pelo peixe, que assim recuperou as sagradas escrituras. Cada uma das versões contém, a seu modo, o núcleo narrativo referido na louvação do *Canto para Govinda*. Na primeira, os *Vedas* são entendidos em sua forma abstrata, de saber sagrado revelado, enquanto na segunda, trata-se de uma referência à concretude do conhecimento sagrado, sob sua forma de texto registrado.

Quatro-braços: *Caturbhuja*, nome de Viṣṇu. Quatro é o número das divisões sociais, dos quadrantes do mundo, das antologias dos *Vedas*, dos estágios da vida. Ter quatro braços representa possuir e ter poder sobre as quatro partes de um todo dividido em quatro, isto é, representa o atributo da totalidade cósmica de Viṣṇu como aspecto físico manifesto. O nome *caturbhuja* ocorre em uma passagem reveladora da *Bhagavad Gītā* (11.46), em que Arjuna, reverente, pede a Kṛṣṇa que se manifeste sob sua forma sobrenatural (*rūpeṇa caturbhujena*) e é atendido com uma manifestação que o aterroriza.

Rādhā: Uma personagem da literatura sânscrita conhecida preponderantemente por meio do *Canto para Govinda*. No *Viṣṇu Purāṇa* e no *Bhāgavata Purāṇa* não há menção a seu nome. Apesar disso, na segunda obra, há uma passagem de interesse para o estudo dessa personagem. Algumas pastoras, ciumentas devido notarem a preferência de Kṛṣṇa por uma única delas, dizem uma frase que se utiliza da mesma raiz verbal que compõe o nome de Rādhā: "Por ela, foi certamente *propiciado* (*ārādhito*) o adorável senhor Hari" (10.30.28). A interpretação tradicional viṣṇuíta conclui que a pastora tratada com exclusividade é Rādhā. Na poesia do *Canto para Govinda*, de modo inverso, na canção que inicia a narrativa propriamente dita, descreve-se a dança de Kṛṣṇa com as pastoras, onde quem fica de fora e sofre com os ciúmes é a pastora Rādhā. Assim, numa inversão da perspectiva da interpretação tradicional, que vê no episódio da dança uma preferência de Kṛṣṇa por Rādhā, o poema parte de uma narrativa construída de modo diverso, deslocando Rādhā para o papel desconfortável na parte inicial do poema.

Rādhikā: Forma carinhosa do nome Rādhā.

Rāma: O sétimo *avatāra* de Viṣṇu na lista que enumera dez. Rāma é o herói que protagoniza o épico *Rāmāyaṇa*, cuja narrativa apresenta o demônio de nome Rāvaṇa, que governava a ilha de Laṅkā, como seu rival. Rāma casou-se com Sītā, a filha do rei Janaka, após vencer um concurso promovido por este, em que foi capaz de vergar o arco prodigioso de Śiva. Porém, após intrigas palacianas, promovidas por Kaikeyī, uma das esposas de seu pai (o rei Daśaratha), Rāma foi à floresta exilar-se junto de Sītā e seu irmão Lakṣmaṇa. Lá, Sītā foi sequestrada por Rāvaṇa, que a levou para a ilha de Laṅka. Muitos expedientes ocorreram para seu resgate, que resultou na morte de Rāvaṇa, que teve suas dez cabeças cortadas por Rāma. A referência a esse *avatāra* no *Canto para Govinda* centraliza-se no feito do combate a Rāvaṇa, que, junto de suas legiões, foi exterminado de toda a Terra (cf. *Viṣṇu Purāṇa*, 4.4.47).

Rāmādevī: Nome atribuído à mãe de Jayadeva.

Rāhu: "Devorador", demônio a quem são atribuídos os eclipses lunares. Conta-se que, no momento em que os deuses fruíam do *amṛta* (néctar da imortalidade), Rāhu apareceu disfarçado como um deles. Percebendo-o, o Sol e a Lua delataram Rāhu a Viṣṇu, que lhe cortou a cabeça, que já havia sido imortalizada pelo trago do néctar. Desde então, ela flutua no espaço a perseguir a Lua com o intento de devorá-la (*Bhāgavata Purāṇa*, 8.9.24-26). Note-se que a Lua é tida como o receptáculo do *soma* (suco utilizado no ritual védico). Na literatura épica, o *amṛta*, bebida pertencente ao plano mítico, é identificada ao *soma*, do plano ritualístico. Essa identificação está presente na narrativa de Rāhu, em que a impossibilidade de tomar o *amṛta* do oceano é contígua ao desejo de devorar a Lua.

Rival-de-Madhu: *Madhuripu*, nome de Viṣṇu (cf. verbete Algoz-de-Madhu).

Rival-de-Mura: *Muravairin* e *murāri*, nome de Kṛṣṇa que remete ao feito em que o demônio Mura, junto com Naraka, foi morto por Kṛṣṇa. No *Bhāgavata Purāṇa*, 10.59, há uma versão para o mito que conta que Indra foi até a presença de Kṛṣṇa para relatar que Naraka havia se apossado de bens caros aos deuses, o guarda-sol de Varuṇa, os brincos de Aditi e a estância da montanha dos deuses (*amarādri*, o monte Meru). Montando sobre Garuḍa, Kṛṣṇa foi até a cidade em que Naraka reinava, lá se deparando com variados tipos de fortificações e defesas, que, com suas armas — o porrete, o disco, a espada e as flechas — desmantelou. A seguir, Mura, aliado de Naraka, urrando assustadoramente, ergueu-se das águas e investiu contra Kṛṣṇa, que contra-atacou todas suas tentativas e o derrotou, cortando sua cabeça com o disco. Na sequência da morte de Mura, um exército dotado de armas muito poderosas foi aniquilado de modo sangrento por Kṛṣṇa e Garuḍa, que com seu bico, suas asas e garras, arrasou os inimigos. Por fim, Naraka surgiu e, com sua arma, atirou-se contra Garuḍa, que o recebeu como um elefante recebe um colar de flores (10.59.20). Ao atacar Kṛṣṇa, recebe o mesmo fim de seu aliado. A mãe de Naraka, a Terra (Bhū), devolveu as posses dos deuses e pediu a ele que entronizasse o filho de seu filho no reino então destituído de um soberano. Kṛṣṇa atendeu ao pedido e, ao adentrar na cidade, encontrou 16 mil mulheres que haviam sido capturadas pelo rei recém-derrotado. Levou as moças, tesouros e também 64 elefantes do tipo Airāvata (espécie sobrenatural, associada a Indra, gigantescos, brancos e com quatro presas). De volta a sua cidade, casou com as 16 mil mulheres e permaneceu com cada uma delas simultaneamente em casas diferentes, também absorvido em seu ser transcendente e nos deveres domésticos.

Śaraṇa: Nome de um poeta (cf. verbete Umāpatidhara).

Śauri: Nome de Govinda-Kṛṣṇa.

Sem-corpo: *Anaṅga* e *vitanu*, a personificação masculina do desejo amoroso (cf. verbete Amor).

Senhor-Bhṛgu: *Bhṛgupati* e Arjuna Kārtavīrya, o sexto *avatāra* de Viṣṇu na lista que enumera dez. Também conhecido como Paraśurāma, "Rāma que porta o machado", sua narrativa configura o tema da decadência do *dharma* como a regência ilegítima da casta dos guerreiros sobre a casta dos sacerdotes. Segundo o *Bhāgavata Purāṇa* (9.15-16), Paraśurāma, filho de Jamadagni, revoltou-se contra Arjuna (pertencente à linhagem dos *Haihaya*), um membro da casta guerreira, que havia tomado de seu pai uma vaca que seria utilizada num ritual. Para recuperar a vaca, ele derrota ferozmente, com seu machado, os exércitos de Arjuna, que ao final da batalha é morto, tendo seus braços e depois a cabeça cortada pelo machado de Paraśurāma. Tempos depois, os filhos de Arjuna encontram uma situação apropriada para a vingança, invadem o eremitério de Jamadagni e o degolam, levando sua cabeça. Paraśurāma vai novamente ao combate dos inimigos e os aniquila. Com esse feito, encheu um lago com sangue dos membros da casta guerreira, eliminada da terra, diz o épico, devido à sua arrogância. A seguir, o brâmane *avatāra* une o corpo à cabeça degolada de seu pai e realiza um ritual que envolve as quatro regiões principais e as quatro regiões intermediárias do mundo, trazendo, com isso, o cadáver de Jamadagni de volta à vida.

Senhor das Serpentes: Śiva é, juntamente com Viṣṇu e a Grande Deusa, um dos deuses de maior expressão no hinduísmo desde longa data. Há imensa variação nas formas de teologia, cosmologia e ritual. Importa aqui, no contexto das narrativas míticas, à qual Jayadeva faz referência, que Śiva é descrito frequentemente em sua relação pacífica com as serpentes, por vezes portando uma delas como um colar.

Śrī: "Radiante", "Afortunada", nome da deusa companheira de Viṣṇu. Ao lado de Lakṣmī, Śrī designa frequentemente a forma cósmica dessa deusa. Outros nomes recorrentes são Padmā (ou Kamalā), Dharaṇī, Sītā e Rukmiṇī, que, segundo o *Viṣṇu Purāṇa* (1.9.141-142), são atribuídos às encarnações das deusas que acompanharam Viṣṇu em suas formas de *āditya* (ou Vāmana), Rāghava (ou Rāma), Bhārgava (ou *Bhṛgupati*) e Kṛṣṇa, respectivamente. No *Canto para Govinda* essa deusa está identificada à pastora Rādhā.

Tartaruga: *Kacchapa*, o segundo *avatāra* de Viṣṇu na lista que enumera dez. Também conhecido como Kūrma, assim é seu mito segundo o *Agni Purāṇa* (3.1-22).[35] Os deuses, condenados a uma maldição feita por Durvāsas (nome de um homem muito sábio, considerado por alguns como uma encarnação de Śiva, e conhecido por seu temperamento irascível), estavam sofrendo muitas derrotas consecutivas em seus embates contra os demônios. Então, a pedido dos deuses, Viṣṇu os aconselhou a fazerem uma sociedade com os seus inimigos, tendo como pretenso objetivo um acordo em que os dois grupos rivais sorvessem o néctar da imortalidade (*amṛta*). Para isso, disse-lhes Viṣṇu que deveriam bater o oceano de leite, à maneira como se faz a manteiga, de modo que viesse à superfície o almejado néctar. Garantiu também aos deuses que, nessa ocasião, empreenderia algum artifício contrário aos demônios, levando-os a não beber do licor. Para realizar essa operação, Viṣṇu adquiriu a forma de uma imensa tartaruga para suportar o monte Mandara, que foi amarrado à serpente Vāsuki, utilizada como corda, segura pelos deuses, que remoinharam o oceano até que o néctar emergisse. Junto ao néctar, surgiram a árvore Pārijāta, a joia Kaustubha, vacas, Apsaras (ninfas celestes) e a deusa Lakṣmī, que se dirigiu a Viṣṇu. Ao verem-na e louvarem-na, os deuses recuperaram sua boa sorte. Viṣṇu, então, assumiu a forma de Dhanvantari, médico compilador dos textos do *Āyurveda*, e trouxe um jarro com o néctar vindo do oceano. Os demônios pegaram metade e deram metade aos deuses. Nesse instante, Viṣṇu, sob a forma de uma bela mulher, fascinou os demônios, que, ludibriados, o convidaram para ir com eles. Sob a forma feminina, o deus atendeu ao pedido, arrancou-lhes o néctar e entregou-o aos deuses, que o sorveram. Danielou (1964: 167) menciona que, nesse mito, segundo a versão do *Mārkaṇḍeya Purāṇa* (58.47), diz-se que o continente indiano passa a ser sustentado pelo imenso casco da tartaruga. Tal narrativa agrega o componente ao qual o *Canto para Govinda* alude quando louva o *avatāra* da tartaruga, a saber, a sustentação da Terra, identificada com o continente indiano, no casco do prodigioso réptil.

Transgressor: *Dūṣana*, nome de Rāvaṇa (cf. verbete Rāma).

Tremor-das-gentes: *Janārdana*, nome atribuído a Viṣṇu em seu aspecto associado a Rudra. Esse nome traz em sua composição a raiz verbal *ARD*, que varia entre os sentidos de "atormentar", "ferir", "matar", "agitar" e "mover veementemente". Esse nome reflete o aspecto terrífico do deus (cf. verbete Quatro-braços).

Umāpatidhara, Śarana, Govardhana e Dhoyin: Nomes de poetas associados ao reinado de Lakṣmaṇasena (c. 1179-1205 d.C.), na região de Bengala. Ao lado da antologia poética chamada *Saduktikarṇāmṛta*, essa referência a personagens históricos é uma das informações que auxiliam na datação e na localização das condições de produção do poema *Canto para Govinda.* O nome Jayadeva, juntamente com esses outros quatro, aparece como assinatura de poemas pertencentes à *Saduktikarṇāmṛta*, compilada em Bengala em 1205 d.C. (Miller, 1984: 4). Há, porém, controvérsias que afirmam tratar-se de uma interpolação que pretende induzir à ideia de que o poema foi composto na região de Bengala. N. S. R. Ayengar defende essa tese em *Gītagovindam: Sacred Profanities* (pp. 51-6), procurando demonstrar um possível anacronismo nessa passagem, que, de acordo com sua análise, abrangeria poetas posteriores à época em que viveu Jayadeva. Para ele, que representa um ponto de vista bastante difundido na região de Orissa, o poema foi composto originalmente nessa região e a referida estrofe, além de possuir uma incoerência histórica, não segue o estilo santificado que ele atribui a Jayadeva, cuja postura não traria o tom competitivo aí presente. É importante mencionar que, contrários aos argumentos de Ayengar, apresentam-se as três estudos críticos da obra (Miller, 1984; Quellet, 1978, e Sandahl-Forgue, 1977), em que a citação desses poetas compõe o texto central do poema.

Vāsudeva: Patrônimo de Kṛṣṇa que faz referência a seu pai, Vasudeva.

Vaikuṇṭha: Nome de Viṣṇu e também do mundo celestial em que ele habita.

Veste-amarela: *Pītāmbara*, nome de Kṛṣṇa, cujos trajes muitas vezes são descritos como amarelos na literatura.

Danielou (1964: 158), a partir da obra *Śrīviṣṇutattva*, explica que a cor amarela da roupagem, contrastada à cor negra de Kṛṣṇa, cria uma imagem em que se associa o tecido amarelo, que faz perceber a cor negra reluzente, aos *Veda*, comparados a um véu de ouro atravessado por uma realidade divina fulgurante.

Vindo-do-intento: *Manasija* e *manmatha*, a personificação masculina do desejo amoroso (cf. verbete Amor).

Vṛndā: Nome de uma floresta situada na margem do rio Yamunā, vizinha da cidade chamada Mathurā, conhecida como o local de nascimento de Kṛṣṇa.

Yādavas: Aqueles que descendem de Yadu, um célebre ancestral de Kṛṣṇa. A linhagem dos Yādava é tratada em detalhes no *Bhāgavata Purāṇa* 9.24. Nesse relato, diz-se que Yadu teve quatro filhos, Sahasrājit, Kroṣṭā, Nala e Ripu. Contando a partir de seu filho Sahasrājit, Madhu e Vṛṣṇi correspondem respectivamente à décima sexta e à décima sétima gerações que descenderam de Yadu.

Yama: Deus da morte.

Yamunā: Nome do rio miticamente identificado com Yamī, irmã de Yama, divindade que preside a morte. Sua presença é constante nos episódios que relatam a juventude de Kṛṣṇa na floresta de Vṛndā, consistindo num elemento geográfico importante para identificação entre espaço referencial (rio Jumna, afluente do rio Ganges, que conflui com este na cidade de Allahabad, importante centro de peregrinação viṣṇuíta) e o espaço mítico da literatura dedicada a Kṛṣṇa.

Referências bibliográficas

1. TRADUÇÕES E TEXTO ORIGINAL DO *CANTO PARA GOVINDA*

AYENGAR, N. S. R. *Gītagovindam: Sacred Profanities: A Study of Jayadeva's Gītagovinda.* Nova Delhi: Penman, 2000.

MILLER, Barbara S. *Gītagovinda of Jayadeva: Love Song of the Dark Lord.* Delhi: Motilal Banarsidass, 1984.

QUELLET, Henri. *Le Gītagovinda de Jayadeva: Texte, Concordance et Index.* Hildesheim/Nova York: Georg Olms, 1978.

SANDAHL-FORGUE, Stella. *Le Gītagovinda — Tradition et Innovation dans le kāvya.* Stockholm: Almqvist & Wiksell International, 1977.

SIEGEL, Lee. *Sacred and Profane Dimensions of Love in Indian Traditions as Exemplified in the Gītagovinda of Jayadeva.* Delhi: Oxford, 1978.

TOLA, Fernando. *Gīta Govinda — Los amores del dios Krishna y de la pastora Radha.* Buenos Aires: Sudamericana, 1999.

2. OBRAS CITADAS

Literatura sânscrita

TAGARE, Ganesh (Trad.). *The Bhāgavata Purāṇa.* Delhi: Motilal Banarsidass, 5 v., 1986-9.

WILSON, Horace H. (Trad.). *The Viṣṇu Purāṇa — A System of*

Hindu Mythology and Tradition. Londres: John Murray, 1840.

Geral

DANIÉLOU, Alain. *Hindu Polytheism*. Nova York: Bollingen Foundation, 1964.
GONDA, Jan. *Aspects of Early Viṣṇuism*. Delhi: Motilal Banarsidass, 1993.
MONIER-WILLIAMS, Monier. *A Sanskṛit-English Dictionary*. Delhi: Motilal Banarsidass, 1997.
VAN BUITENEN, Johannes; DIMMIT, Cornelia. *Classical Hindu Mythology*. Delhi: Sri Satguru Publications, 1998.

Notas

1. Idealização pelo fato de que, na prática histórica, o deus Brahman recebeu uma quantidade minúscula de templos e de cultos, enquanto a grande deusa — sob a forma de deusas como Kālī, Durgā, entre outras — ocupa um lugar quantitativamente mais relevante na visão popular, ao lado de Śiva e Viṣṇu.
2. N. S. R. Ayengar, *Gītagovinda: Sacred Profanities: A Study of Jayadeva's Gītagovinda*. Nova Delhi: Penman, 2000, p. 43.
3. Acréscimo meu.
4. Fernando Tola, *Gītagovinda — Los amores del dios Krishna y de la pastora Radha*. Buenos Aires: Sudamericana, 1999, pp. 20-1.
5. Barbara S. Miller, *Gītagovinda of Jayadeva: Love Song of the Dark Lord*. Delhi: Motilal Banarsidass, 1984, p. 15.
6. Lee Siegel, *Sacred and Profane Dimensions of Love in Indian Traditions as Exemplified in the Gītagovinda of Jayadeva*. Delhi: Oxford, 1978, p. IX.
7. A indicação do raga (*rāga*) determina, em cada canção, a base musical que deverá conduzir seu canto. Os nomes de *rāga* presentes no *Canto para Govinda* não são estabelecidos univocamente na teoria musical indiana da atualidade. São desconhecidos ou conduzidos sob algumas variantes, a depender da localidade em que se encontra a escola musical (Fernando Tola. *Gīta Govinda — Los amores del dios Krishna y de la pastora Radha*. Buenos Aires: Sudamericana, 1999, pp. 14-5).

8. Referência ao deus Indra. No sânscrito, o epíteto utilizado é *purandara*, "destruidor de cidades". A tradução adotada, motivada pelo plano da expressão, opta semanticamente por uma referência mítica à arma utilizada por esse deus.
9. Variedade de monstro mítico que, diz a literatura, está desenhado no estandarte que o amor personificado carrega. Sua forma, segundo o *Sanskrit-English Dictionaty*, é a de um monstro marinho, por vezes associado ao golfinho, ao crocodilo ou ao tubarão.
10. Nome de uma árvore de flores alaranjadas.
11. Nome de uma árvore de flores vermelhas.
12. Epíteto de Śiva.
13. Idem.
14. Variedade de fruta vermelha e suculenta.
15. Nome do deus que preside a morte.
16. Irmão de Indra (*upendra*) é o epíteto de Viṣṇu, constantemente junto a Indra, é nesta passagem referido como a arma de Indra (*vajra*), "raio", "trovão".
17. Referência a Balarāma, irmão de Kṛṣṇa. Vide Homem-do-arado no Glossário.
18. Epíteto para o rio Yamunā.
19. No sânscrito, *pañcamarāga*, "quinto raga", modelo melódico considerado, na literatura, como propiciador do sentimento erótico.
20. Referência às *apsaras*, seres sobrenaturais femininos dotados de muita beleza e poder de sedução. Os nomes *sedução*, *lua cheia*, *fascinação*, *bananeira*, *engenhosidade* e *luminosidade* correspondem, respectivamente, no texto sânscrito, aos termos *madālasa*, *indu*, *manoramā*, *rambhā*, *kalāvatī* e *citralekha*, que, além de possuírem os sentidos adotados na tradução, denominam as *apsaras* que habitam o céu de Indra (ver N. S. R. Ayengar, *Gītagovindam: Sacred Profanities: A Study of Jayadeva's Gītagovinda*. Nova Delhi: Penman, 2000, p. 166).
21. A pedra de toque é escura e empregada para testar o valor dos metais que se atritam contra ela. No poema, a noite é comparada à pedra por ser igualmente escura, mas também por servir de superfície sobre a qual ca-

minham mulheres "douradas", seja por sua pele cor de açafrão, seja pelo brilho de seus enfeites.

22. Barbara S. Miller. *Gītagovinda of Jayadeva: Love Song of the Dark Lord.* Delhi: Motilal Banarsidass, 1984, p. 29.
23. Ibid., p. 37.
24. Deus, Demônio, *Yakṣas* e *Gandharvas* são categorias de seres sobrenaturais. Os dois últimos têm presença mais terrena e celestial, respectivamente. Ambos são comumente representados na literatura sob seus poderes de se relacionarem com o mundo dos humanos. "Deus" e "demônio" são traduções que procuram adaptar à língua portuguesa categorias de seres que são dotados de especificidades na literatura sânscrita.
25. Um instrumento musical de cordas.
26. Dos cinco elementos, o *ākāśa* é o mais sutil deles, cuja natureza é a espacialidade, isto é, esse elemento é a essência da tridimensionalidade.
27. A obra conhecida como *Śiva Purāṇa* nomeia suas partes com os títulos "Rudra", "Umā" etc. Por essa razão, sempre que for citada, aparecerá o nome da parte acompanhado da numeração dos capítulos.
28. *Hindu Polytheism.* Nova York: Bollingen Foundation, 1964, p. 312.
29. Ver Alain Daniélou. *Hindu Polytheism.* Nova York: Bollingen Foundation, 1964, pp. 169-70.
30. Jan Gonda. *Aspects of Early Viṣṇuism.* Delhi: Motilal Banarsidass, 1993, p. 24.
31. Johannes van Buitenen; Cornelia Dimmit. *Classical Hindu Mythology.* Delhi: Sri Satguru Publications, 1998.
32. Id.
33. Danielou, op. cit., pp. 168-9.
34. Danielou, op. cit., p. 159.
35. Versão sintetizada a partir da tradução de Van Buitenen (op. cit., pp. 74-5), relativa ao *Agni Purāṇa*, 3.1-22.

Marquês de Sade

Os 120 dias de Sodoma

Tradução e notas de
ROSA FREIRE D'AGUIAR
Posfácio de
ELIANE ROBERT MORAES

Neste romance perturbador, pensado por Sade como sua grande obra, quatro amigos se isolam em um castelo na Floresta Negra para ouvir de quatro alcoviteiras histórias de sua vida nos bordéis e as taras de seus clientes. Para encenarem esta experiência sadomasoquista da qual ninguém sairá imune, os libertinos contam com as esposas, filhas e um séquito de jovens, todos obrigados a se submeter às paixões ali descritas.

Escrito em 1785 durante uma temporada de prisão na Bastilha, este escandaloso relato permaneceria clandestino até 1904, ano de sua primeira publicação. Nem a perseguição de seu autor, nem sua censura sistemática foram suficientes para conter a avassaladora influência que tal catálogo de perversões teve sobre incontáveis leitores ao longo dos dois séculos seguintes, entre eles Roland Barthes, Simone de Beauvoir, Theodor Adorno e Samuel Beckett.

Brilhantemente traduzida por Rosa Freire d'Aguiar, esta edição inclui um posfácio de Eliane Robert Moraes, que levanta uma questão mais do que pertinente: estaríamos nós, enfim, prontos para ler um dos livros mais controversos de todos os tempos?

Epicuro

Cartas & Máximas principais

Tradução do grego, apresentação e notas de
MARIA CECÍLIA GOMES DOS REIS
Introdução de
TIM O'KEEFE

Os ensinamentos de Epicuro atraíram legiões de adeptos em todo o mundo antigo e influenciaram profundamente o pensamento europeu moderno. Embora tenha enfrentado oposição hostil por séculos após sua morte, Epicuro conta com Thomas Hobbes, Thomas Jefferson, Karl Marx e Isaac Newton entre seus muitos admiradores.

Filósofo grego cujo prestígio ressurgiu a partir do século XIX, Epicuro seria o verdadeiro pai de ideias como a base materialista do marxismo, o princípio de incerteza da física quântica, a noção de seleção natural, o problema da vontade livre, a doutrina da vida em comunidade afastada da política e — por fim e não menos importante — o repúdio à crença em castigos após a morte.

Este volume compreende os escritos filosóficos de Epicuro que sobreviveram até nossa época, as três cartas dedicadas aos seus discípulos, bem como um conjunto de sentenças e aforismos. *Cartas & Máximas principais* é uma janela para a filosofia antiga do bem viver.

Ovídio

Amores & Arte de amar

Tradução, introdução e notas de
CARLOS ASCENSO ANDRÉ
Prefácio e apêndices de
PETER GREEN

Para o poeta latino Ovídio, o amor é uma técnica que, como toda técnica, pode ser ensinada e aprendida. Isso, porém, não é simples: "São variados os corações das mulheres; mil corações, tens de apanhá-los de mil maneiras", ele diz. Essas "mil maneiras" são ensinadas em sua *Arte de amar*, uma espécie de manual do ofício da sedução, da infidelidade, do engano e da obtenção do máximo prazer sexual, elaborado a partir das experiências vividas pelo poeta e descritas em *Amores*.

Autoproclamado mestre do amor, Ovídio versa sobre as regras da procura e da escolha da "vítima", o código de beleza masculino, o desejo da mulher, o ciúme, o domínio da palavra escrita e falada, o poder do vinho como aliado na sedução, o fingimento, a lisonja, as promessas, os homens que devem ser evitados, a técnica da carícia e os caminhos do corpo feminino, entre outros temas.

A edição da Penguin-Companhia das Letras tem tradução e introdução de Carlos Ascenso André, professor de línguas e literaturas clássicas da Faculdade de Letras de Coimbra, e apresentação e notas do inglês Peter Green, escritor, tradutor e jornalista literário.

Sêneca

Sobre a brevidade da vida/ Sobre a firmeza do sábio

Tradução do latim e notas de
JOSÉ EDUARDO S. LOHNER

Os escritos do filósofo estoico Sêneca pertencem à categoria de obras que mudaram a humanidade e que, universais, resistem à passagem do tempo. Por meio de insights poderosos, eles transformam a maneira como nos vemos e já serviram de guia para inúmeras gerações por sua eloquência, lucidez e sabedoria.

Sobre a brevidade da vida e Sobre a firmeza do sábio foram concebidos em forma de cartas e apresentam reflexões essenciais quanto à arte de viver, à passagem do tempo e à importância da razão e da moralidade.

Traduzida do latim por José Eduardo S. Lohner, esta edição conta ainda com notas esclarecedoras do tradutor.

Homero

Odisseia

Tradução de
FREDERICO LOURENÇO

A narrativa do regresso de Ulisses a sua terra natal é uma obra de importância sem paralelos na tradição literária ocidental. Sua influência atravessa os séculos e se espalha por todas as formas de arte, dos primórdios do teatro e da ópera até a produção cinematográfica recente. Seus episódios e personagens — a esposa fiel Penélope, o filho virtuoso Telêmaco, a possessiva ninfa Calipso, as sedutoras e perigosas sereias — são parte integrante e indelével de nosso repertório cultural.

Em seu tratado conhecido como *Poética*, Aristóteles resume o livro assim: "Um homem encontra-se no estrangeiro há muitos anos; está sozinho e o deus Posêidon o mantém sob vigilância hostil. Em casa, os pretendentes à mão de sua mulher estão esgotando seus recursos e conspirando para matar seu filho. Então, após enfrentar tempestades e sofrer um naufrágio, ele volta para casa, dá-se a conhecer e ataca os pretendentes: ele sobrevive e os pretendentes são exterminados."

Esta edição de *Odisseia* traz uma excelente introdução de Bernard Knox, que enriquece o debate dos estudiosos mas principalmente serve de guia para estudantes e leitores, curiosos por conhecer o mais famoso épico de nossa literatura.

Dante Alighieri

Convívio

Tradução, introdução e notas de
EMANUEL FRANÇA DE BRITO
Apresentação de
GIORGIO INGLESE

Concebido na primeira década do século XIV, provavelmente enquanto Dante estava no exílio, *Convívio* é composto de uma série de comentários acerca de peças poéticas que o autor escreveu em sua juventude. Poemas alegóricos sobre o amor e a filosofia, os versos se transformam em base para explicações filosóficas, literárias, morais e políticas.

Escritos em italiano, para que os não eram versados em latim pudessem compartilhar daquele conhecimento, os quatro tratados de *Convívio* são a explícita celebração da filosofia e do que ela representa — isto é, o amor pelo saber.

A obra, que se presta muito bem à apreensão da trajetória intelectual e espiritual do autor, demonstra ainda a lógica política e científica de sua época e joga luz sobre os temas filosóficos que percorrem toda a criação de Dante, incluindo a *Divina comédia*.

Esta obra foi composta em Sabon por Alexandre Pimenta
e impressa em ofsete pela Geográfica sobre papel
Pólen Natural da Suzano S.A. para a Editora Schwarcz
em junho de 2023

FSC
www.fsc.org
MISTO
Papel produzido
a partir de
fontes responsáveis
FSC® C019498

A marca FSC® é a garantia de que a madeira utilizada na fabricação do papel deste livro provém de florestas que foram gerenciadas de maneira ambientalmente correta, socialmente justa e economicamente viável, além de outras fontes de origem controlada.